MAIN

PEQUEÑO PAÍS

Gaël Faye

PEQUEÑO PAÍS

Traducción del francés de
José Manuel Fajardo

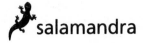salamandra

Para Jacqueline

Prólogo

La verdad es que no sé cómo comenzó esta historia. Papá, sin embargo, nos lo había explicado todo un día en la camioneta.

—Mirad, en Burundi sucede como en Ruanda. Hay tres grupos diferentes, se llaman etnias. Los hutus son los más numerosos, son bajitos y tienen la nariz ancha.

—¿Como Donatien? —le pregunté yo.

—No, él es zaireño, no es lo mismo. Como nuestro cocinero, Prothé, por ejemplo. También están los twa, o sea, los pigmeos. Ellos, bueno, dejémoslo, sólo son unos pocos, digamos que no cuentan. Y luego están los tutsis, como mamá. Son mucho menos numerosos que los hutus; son altos y flacos, con la nariz fina y nunca se sabe lo que se les pasa por la cabeza. Tú, Gabriel —añadió mi padre señalándome con el dedo—, eres un auténtico tutsi, nunca se sabe lo que piensas.

Tampoco yo sabía qué pensar. Al fin y al cabo, ¿qué podía pensar uno de todo aquel lío? Así que le pregunté:

—¿La guerra entre los tutsis y los hutus es porque no tienen el mismo territorio?

—No, no es eso, están en el mismo país.

—Entonces... ¿no hablan la misma lengua?

—No, la lengua que hablan es la misma.

—Entonces, ¿es porque no tienen el mismo dios?

—Sí, sí tienen el mismo dios.

—Entonces... ¿por qué están en guerra?

—Porque no tienen la misma nariz.

La conversación se detuvo ahí. De veras que aquel asunto era muy extraño. Creo que papá tampoco lo entendía muy bien. A partir de aquel día, empecé a fijarme en la nariz y en la estatura de la gente por la calle. Cuando íbamos de compras al centro de la ciudad, con mi hermana pequeña, Ana, intentábamos adivinar discretamente quién era hutu y quién tutsi. Murmurábamos:

—Ese del pantalón blanco es un hutu, es bajito y tiene la nariz ancha.

—Ajá, y el de allí, con sombrero, es altísimo, muy delgado y con la nariz muy fina, ése es un tutsi.

—Y ese de ahí, el de la camisa a rayas, es un hutu.

—Qué va, míralo, es alto y flaco.

—Sí, pero ¡tiene la nariz ancha!

Ahí fue cuando empezamos a dudar de aquella historia de las etnias. Y además papá no quería que habláramos de eso. Para él, los niños no debían entrometerse en política. Pero no podíamos evitarlo. Aquella extraña atmósfera crecía de día en día. Hasta en la escuela los compañeros de clase comenzaron a pelearse en el patio tildándose de hutus o de tutsis. Durante la proyección de *Cyrano de Bergerac*, incluso se oyó a un alumno decir: «Mirad, con esa nariz, es un tutsi.» Algo diferente flotaba en el aire. Tuvieras la nariz que tuvieras, podías olerlo.

Este regreso me obsesiona. No hay día en que el país no me venga a la memoria. Un ruido furtivo, un olor difuso, una luz en la tarde, un gesto, a veces un silencio basta para despertar el recuerdo de la infancia. «Allí no vas a encontrar nada, aparte de fantasmas y un montón de ruinas», no deja de repetirme Ana, que no quiere volver a oír hablar de ese «maldito país». La escucho. Y la creo. Siempre ha sido más lúcida que yo. Entonces desecho la idea. Y decido de una vez por todas que nunca regresaré allí. Mi vida está aquí. En Francia.

Ya no habito en ninguna parte. Habitar significa fundirse carnalmente con la topografía de un lugar, con las anfractuosidades del entorno. Y aquí no me sucede nada de eso. Sólo estoy de paso. Alquilo. Anido. Ocupo. La mía es una ciudad dormitorio funcional. Mi apartamento huele a pintura fresca y a linóleo nuevo. Mis vecinos son completos desconocidos, a los que uno evita cordialmente en la escalera.

Vivo y trabajo en la Región parisina. Saint-Quentin-en-Yvelines. Línea RER C. Una ciudad nueva, como una vida sin pasado. He necesitado años para integrarme,

11

como suele decirse. Para tener un empleo estable, un apartamento, tiempo libre, amistades.

Me gusta conocer gente por internet. Historias de una noche o de varias semanas. Las chicas con las que salgo son todas diferentes, más guapas unas que otras. Me embriaga escucharlas hablar de sí mismas, oler el perfume de sus cabellos, antes de abandonarme a la suavidad de sus brazos, de sus piernas, de sus cuerpos. Ninguna de ellas deja de hacerme la misma pregunta lacerante y, por cierto, siempre en la primera cita: «¿De dónde eres?» Una pregunta banal. Una formalidad. Un paso casi obligado para ir más allá en la relación. Mi piel de color caramelo hace que suela verme forzado a mostrar mi buena voluntad hablando de mi pedigrí. «Soy un ser humano.» Mi respuesta las irrita. Sin embargo, no lo hago para provocarlas. Tampoco para parecer pedante o un filósofo. Desde que medía apenas tres palmos decidí que nunca más iba a definirme.

La velada prosigue. Mi técnica está bien engrasada. Ellas hablan. Les gusta que las escuche. Yo me empapo. Me inundo. Me sumerjo en una bebida fuerte y me libero de mi sinceridad. Me convierto en un cazador temible. Las hago reír. Las seduzco. Vuelvo al tema de los orígenes sólo para divertirme. Cultivo deliberadamente el misterio. Juego al gato y al ratón. Respondo con frío cinismo que mi identidad carga con el peso de los cadáveres. Ellas no responden. Quieren frivolidad. Me miran con ojos de gacela. Yo las deseo. A veces se me entregan. Me toman por un tipo original. Sólo las divierto durante un tiempo.

Me obsesiona este retorno, lo pospongo indefinidamente, lo mando cada vez más lejos. Tengo miedo a encontrarme con verdades enterradas, con pesadillas dejadas en el umbral de mi país natal. Durante la noche, en sueños; de

12

día, con el pensamiento; hace veinte años que regreso a mi barrio, a aquel tiempo suspendido en el que vivía feliz con mi familia y mis amigos. La infancia me ha dejado marcas con las que no sé qué hacer. En los días buenos me digo que es de ellas de donde nacen mi fuerza y mi sensibilidad. Cuando he llegado al fondo de la botella, veo en ellas la causa de mi inadaptación al mundo.

Mi vida se parece a una larga divagación. Todo me interesa. Nada me apasiona. Me falta la sal de las obsesiones. Soy de la estirpe de los indolentes, pertenezco a esa media perezosa. A veces me pellizco. Me observo a mí mismo en sociedad, en el trabajo, con mis compañeros de oficina. ¿Seguro que ese tipo del espejo del ascensor soy yo? ¿Ese muchacho que está junto a la máquina de café y que se obliga a reír? No me reconozco. Vengo de tan lejos que todavía me asombra estar aquí. Mis colegas hablan del tiempo o de un programa de la tele. Ya no los escucho. Me cuesta respirar. Me estiro el cuello de la camisa. Me siento oprimido. Observo mis zapatos lustrados, brillan, me devuelven un reflejo desalentador. ¿En qué se han convertido mis pies? Se esconden. Nunca he vuelto a verlos pasearse al aire libre. Me acerco a la ventana. El cielo está cubierto. Cae una llovizna gris y viscosa, no hay ningún árbol de mango en el pequeño parque encajonado entre el centro comercial y las vías del ferrocarril.

Esta tarde, al salir del trabajo, corro a refugiarme en el primer bar, frente a la estación. Me siento delante del futbolín y pido un whisky para celebrar mis treinta y tres años. Intento localizar a Ana en su móvil, no me responde. Me obstino. Marco su número varias veces. Al final me acuerdo de que está de viaje de negocios en Londres. Quiero contarle, hablarle de la llamada telefónica de esta mañana. Eso tiene que ser una señal del destino. Debo regresar allí. Aunque sólo sea para aligerarme el corazón. Para zanjar de una vez por todas esta historia que me persigue. Cerrar la puerta tras de mí para siempre. Pido otro whisky. El ruido de la televisión que está sobre la barra se impone por un instante sobre el curso de mis pensamientos. Un canal de noticias difunde una serie de imágenes de seres humanos que huyen de la guerra. Observo sus embarcaciones improvisadas llegando a suelo europeo. Los niños que descienden de ellas están ateridos de frío, hambrientos, deshidratados. Se juegan la vida sobre el tapete de la locura del mundo. Yo los miro, instalado confortablemente aquí, en la tribuna presidencial, con un whisky en la mano. La opinión pública pensará que han huido del infierno en busca de El Dorado. ¡Memeces! Nada en ellos nos habla de su país. La poesía no es información. Sin embargo, es lo único que el ser humano retendrá de su paso por la tierra. Aparto la mirada de esas imágenes que hablan de lo real, pero no de la verdad. Quizá esos niños la escriban, algún día. Me siento tan triste como el área de descanso vacía de una autopista en invierno. Cada vez es lo mismo, el día de mi cumpleaños una pesada melancolía se abate como lluvia tropical sobre mí cuando vuelvo a pensar en papá, en mamá, en los amigos, y en aquella fiesta de hace siglos alrededor del cocodrilo destripado al fondo del jardín...

1

Nunca sabré las verdaderas razones de la separación de mis padres. Sin embargo, debió de existir entre ellos un profundo malentendido desde el comienzo. Un defecto de fabricación en su encuentro, un asterisco que nadie vio o quiso ver. Antes de eso, mis padres eran jóvenes y hermosos. Unos corazones tan henchidos de esperanza como el sol de la independencia. ¡Había que verlos! El día de su boda, papá no acababa de creerse que al final le hubiera puesto el anillo en el dedo. Sin duda él tenía cierto encanto, un encanto paternal, con sus penetrantes ojos verdes, los cabellos castaños con reflejos rubios y la estatura de vikingo. Pero no le llegaba a mamá a la suela del zapato. Ella tenía unas piernas largas y delgadas que hacían asomar fusiles en la mirada de las mujeres y entreabrían persianas en la de los hombres. Papá era un francesito del Jura, llegado a África por casualidad para realizar el servicio civil. Provenía de un pueblecito de la montaña que podría haber pasado por un paisaje de Burundi, pero en él no había mujeres con el porte de mamá, juncos de agua dulce de silueta torneada, bellezas de piel negra como el ébano y grandes ojos de vaca watusi, esbeltas como rascacielos. ¡Había que oírlos! El día de su boda, una rumba despreocupada escapaba de las guitarras mal afinadas y la felicidad tenía ritmo de chachachá bajo un cielo salpicado de estrellas. ¡Todo estaba claro! ¡No había nada más! Amar. Vivir. Reír. Existir. Siempre adelante, sin detenerse, hasta el final de la pista e incluso un poco más allá.

Sólo que mis padres eran unos adolescentes a los que súbitamente se les pide que se conviertan en adultos responsables. Apenas estaban saliendo de la pubertad, de la efusión de las hormonas, de las noches en blanco y ya tenían que librarse de los cadáveres de botellas apuradas hasta el fondo, vaciar de colillas de porros los ceniceros, guardar en sus fundas de plástico los vinilos de rock psicodélico y doblar los pantalones de campana y las camisas indias. Había sonado el timbre. Los hijos, los impuestos, las obligaciones y los problemas llegaron pronto, demasiado pronto, y con ellos las dudas y los cortes de carretera, los dictadores y los golpes de Estado, los programas de ajuste estructural, la renuncia a los ideales, las mañanas en las que resultaba difícil levantarse y el sol que avanzaba cada día un poco más sobre su cama. La realidad se impuso. Ruda. Feroz. La despreocupación del comienzo se transformó en una cadencia tiránica, como el implacable tictac de un péndulo. La cotidianidad llegó como un boomerang y mis padres recibieron su golpe en pleno rostro, y comprendieron que habían confundido deseo y amor. Y que cada cual se había inventado las cualidades del otro. No habían compartido sus sueños, tan sólo sus ilusiones. Cada uno de ellos tenía su sueño, un sueño propio, egoísta, y no estaba dispuesto a cumplir las expectativas del otro.

Pero el tiempo anterior a todo eso, antes de lo que voy a contar y de todo lo demás, fue el de la felicidad, el de la vida sin explicaciones. La existencia tal como era, tal como siempre había sido y como a mí me gustaría que siguiera siendo. Un dulce sopor, apacible, sin mosquitos que vengan a zumbarte en la oreja, sin esa lluvia de preguntas que ha terminado tamborileando sobre mi cabeza. En ese tiempo feliz, si me preguntaban «¿Qué tal?», yo siempre respondía «¡Muy bien!». Puro tictac. La felicidad te impide reflexionar. Fue después cuando me puse a considerar la cuestión. A sopesar los pros y los contras. A esquivar, a opinar vagamente sobre *el jefe*. Por otra parte, todo el país se había puesto a ello. La gente sólo respondía con un «Tirando». Porque la vida ya no podía ir muy bien después de todo lo que nos había pasado.

2

Creo que el principio del fin de la felicidad se re-
monta a aquel día de San Nicolás, en la gran terraza
de Jacques, en Bukavu, en Zaire. Visitábamos al viejo
Jacques una vez al mes, se había vuelto una costumbre. Ese día, mamá nos acompañó y eso que hacía
varias semanas que casi no hablaba con papá. Antes
de irnos, pasamos por el banco a cambiar divisas. Al
salir, papá dijo: «¡Somos millonarios!» En el Zaire
de Mobutu, la moneda se había devaluado tanto que
se compraban vasos de agua potable con billetes de cinco millones.

En cuanto se llegaba al puesto fronterizo, se cam-
biaba de mundo. La contención burundesa cedía paso
al tumulto zaireño. En aquella muchedumbre bulli-
ciosa, la gente charlaba entre sí, se interpelaba, se incre-
paba como en una feria de ganado. Niños alborotados
y mugrientos no les quitaban ojo a los retrovisores,
los limpiaparabrisas y a las llantas embarradas por las
salpicaduras de los charcos de agua estancada; la carne
de cabra se vendía en brochetas por unas cuantas ca-
rretillas de dinero; madres solteras que driblaban entre

las filas de camiones de mercancías y de minibuses, pegados unos a otros, parachoques contra parachoques, intentando vender a toda prisa huevos duros que se comían con sal gruesa y cacahuetes picantes en bolsas; mendigos con las piernas retorcidas como sacacorchos por la polio, que pedían algunos millones para poder sobrevivir a las desagradables consecuencias de la caída del muro de Berlín; y un predicador, de pie sobre el capó de su Mercedes desvencijado, que anunciaba a voces la inminencia del fin del mundo, sosteniendo en la mano una biblia en suajili encuadernada en piel de serpiente pitón real. En la garita herrumbrosa, un soldado adormilado movía con desgana un espantamoscas. Los efluvios del gasóleo, mezclados con el aire caliente, resecaban la garganta del funcionario, que llevaba lustros sin cobrar. En las carreteras, inmensos cráteres que ocupaban el lugar de los antiguos baches maltrataban a los vehículos, pero eso no impedía de ninguna manera que el aduanero inspeccionara meticulosamente cada uno de esos coches para verificar la adherencia de los neumáticos, el nivel del agua del motor, el buen funcionamiento de los intermitentes. Y si el vehículo no mostraba ninguno de los fallos esperados, el aduanero exigía al conductor un libro de bautismo o de primera comunión para poder entrar en el territorio.

Aquella tarde, harto de resistir, papá terminó por entregar la mordida que todos aquellos absurdos requisitos perseguían. La barrera se alzó al fin y proseguimos nuestro camino entre la humareda que emanaba de las fuentes de agua caliente situadas al lado de la carretera.

Entre la pequeña ciudad de Uvira y Bukavu, nos detuvimos en varias cantinas para comprar frituras de banana y cucuruchos de termitas fritas. Sobre la entrada de esos tugurios había todo tipo de letreros caprichosos: El Fouquet de los Campos Elíseos, Snack-bar Giscard d'Estaing, Restaurante Celebraciones Como en Casa. Cuando papá sacó su Polaroid para inmortalizar aquellos carteles y celebrar la inventiva local, mamá chasqueó la lengua y le reprochó que se maravillara ante un exotismo para blancos.

Después de haber estado a punto de aplastar a multitud de pollos, patos y niños, llegamos a Bukavu, una especie de jardín del Edén a orillas del lago Kivu, vestigio *art déco* de una ciudad antiguamente futurista. En casa de Jacques, la mesa estaba puesta, lista para recibirnos. Había encargado langostinos recién llegados de Mombasa. Papá estaba exultante:

—¡No es una buena bandeja de ostras, pero es estupendo comer cosas buenas de vez en cuando!

—¿De qué te quejas, Michel? ¿Es que comes mal en casa? —dijo mamá sin ninguna ternura.

—¡Sí! El idiota de Prothé me obliga a tragarme sus carbohidratos africanos cada mediodía. ¡Si por lo menos supiera cocinar un entrecot como es debido!

—¡No me hables de eso, Michel! —intervino Jacques—. El macaco que yo tengo en la cocina lo hace todo pasado, con el pretexto de que así mata los parásitos. Ya no sé lo que es un buen filete poco hecho. ¡Qué ganas de regresar a Bruselas para someterme a un buen tratamiento de amebas!

El estallido de risas fue general. Tan sólo Ana y yo permanecimos en silencio en el extremo de la mesa.

Yo tenía diez años, ella sólo siete. Quizá por esa razón el humor de Jacques se nos escapaba. De todos modos, teníamos expresamente prohibido hablar a menos que alguien se dirigiera a nosotros. Ésa era la regla de oro cuando íbamos invitados a algún lado. Papá no soportaba que los niños se metieran en las conversaciones de los adultos. Sobre todo, en casa de Jacques, que era para él como un segundo padre, un modelo, hasta tal punto que, sin darse cuenta, reproducía sus expresiones, sus gestos e incluso las inflexiones de su voz. «¡Él fue quien me enseñó África!», le solía decir a mamá.

Inclinado sobre la mesa para protegerse del viento, Jacques encendió un cigarrillo con su Zippo plateado en el que podían verse dos ciervos grabados. Luego se enderezó, de su nariz escaparon algunas espirales de humo y durante unos instantes observó el lago Kivu. Desde su terraza se distinguía un rosario de islotes que se perdía a lo lejos. Y más allá, en la otra orilla, estaba la ciudad de Cyangugu, en Ruanda. Mamá tenía la mirada perdida en ese horizonte. Cada vez que comíamos en casa de Jacques, oscuros pensamientos debían de acudir a su mente. Ruanda, su país, que había abandonado en 1963 durante una noche de masacres, bajo el resplandor de las llamas que cercaban la casa familiar; ese país, al que no había regresado desde que tenía cuatro años, estaba allí, a poca distancia, casi al alcance de la mano.

En el jardín de Jacques, la hierba estaba cortada de un modo impecable por un viejo jardinero que manejaba su machete con grandes movimientos oscilantes, como si practicara un swing de golf. Delante de nosotros, colibríes de un verde metalizado, que se afanaban en libar el néctar de los hibiscos rojos, ejecutaban un magnífico ballet. Una pareja de grullas coronadas deambulaba a la sombra de los limoneros y los guayabos. El jardín de Jacques rebosaba vida, estallaba en colores, exhalaba un suave perfume a melisa. Con aquella mezcla de paneles de madera exótica traída de bosques de Nyungwe y de rocas negras y porosas procedentes del volcán Nyiragongo, su casa recordaba a un chalet suizo.

Jacques hizo sonar la campanilla que estaba sobre la mesa y el cocinero acudió enseguida. Su atuendo, un gorro y un delantal blancos, desentonaba con sus pies desnudos y agrietados.

—¡Tráenos tres Primus y recoge un poco este caos! —le ordenó Jacques.

—¿Cómo te encuentras, Évariste? —le preguntó mamá.

—¡Gracias a Dios voy tirando, señora!

—¡Deja en paz a Dios, por favor! —intervino Jacques—. Vas tirando porque todavía quedan algunos blancos en Zaire que hacen que funcionen las cosas. ¡Sin mí estarías mendigando, como el resto de tu especie!

—¡Cuando hablo de Dios, me refiero a ti, patrón! —respondió el cocinero con malicia.

—¡No te burles de mí en mi cara, macaco!

Los dos se echaron a reír y Jacques continuó:

—¡Cuando pienso que nunca he sabido conservar a una buena esposa más de tres días y que hace ya treinta y cinco años que cargo con este chimpancé!

—¡Deberías haberte casado conmigo, patrón!

—*Funga kinwa!* ¡Anda, ve y tráenos las cervezas en lugar de decir tonterías! —le ordenó Jacques con una nueva explosión de risa, tras la cual se aclaró la garganta de tal manera que me dieron ganas de vomitar los langostinos.

El cocinero se marchó canturreando una melodía religiosa. Jacques se sonó enérgicamente con un pañuelo de tela que tenía bordadas sus iniciales, luego volvió a coger el cigarrillo, dejó caer un poco de ceniza sobre el parquet encerado y se dirigió a papá:

—La última vez que estuve en Bélgica, los matasanos me dijeron que tenía que dejar el tabaco o, si no, me iría al otro barrio. Aquí he visto de todo: guerras, pillaje, penurias, Bob Denard y Kolwezi, treinta años de esa idiotez de la «zairización», ¡y resulta que va a ser el tabaco el que acabe conmigo! ¡Será posible!

Manchas de vejez salpicaban sus manos y su cráneo pelado. Era la primera vez que lo veía con pantalón corto. Sus piernas pálidas, lechosas, contrastaban con la piel quemada de sus antebrazos y de su rostro curtido por el sol; parecía que su cuerpo fuera el resultado de una amalgama de piezas.

—Quizá tengan razón los médicos, deberías aflojar —dijo mamá, inquieta—. Tres cajetillas al día es demasiado, querido.

—No irás a empezar tú también con eso —contestó Jacques, y siguió dirigiéndose a papá como si ella no estuviera allí—. Mi padre fumaba como un carretero y vivió hasta los noventa y cinco. Y no te cuento la vida que tuvo. ¡Aquello era otra cosa, el Congo en la época de Leopoldo II! ¡Mi padre era un tío duro! Él fue quien construyó la línea de ferrocarril de Kabalo a

Kalemi. Una línea que, por otra parte, hace ya bastante tiempo que no funciona, como todo lo demás en este jodido país. ¡Qué catástrofe, te lo juro!

—¿Por qué no lo vendes todo? Instálate en Buyumbura. La vida allí es agradable —dijo papá, con todo el entusiasmo de que era capaz cuando formulaba espontáneamente una idea por primera vez—. Tengo muchas obras y recibo ofertas a porrillo. ¡En este momento hay pasta!

—¿Venderlo todo? ¡Déjate de sandeces! Mi hermana me llama día sí y día también para que me vaya con ella a Bélgica. Me dice: «Vuelve, Jacques, eso va a terminar mal. Con los zaireños la cosa acaba siempre en pillaje y linchamientos de blancos.» ¿Me imaginas en un apartamento en Ixelles? Nunca he vivido allí, ¿qué pinto yo en ese sitio a mi edad? La primera vez que puse los pies en Bélgica tenía veinticinco años y dos balas en la barriga, que había recibido en una emboscada cuando cazábamos comunistas en Katanga. Pasé por el quirófano, me cosieron y regresé aquí de inmediato. Soy más zaireño que los negros. ¡Nací aquí y aquí moriré! Buyumbura está bien para unas semanas, firmo dos o tres contratos, le estrecho la mano a unos cuantos grandes *bwanas*, visito a contactos y a viejos amigos y regreso aquí. La verdad es que los burundeses me dicen poco. Los zaireños, al menos, son fáciles de comprender. Sueltas un *matabish-bakchich*, ¡y adelante! En cambio, los burundeses... ¡Menuda gente! Son de los que se rascan la oreja izquierda con la mano derecha...

—Es lo que le repito sin cesar a Michel —dijo mamá—. Yo tampoco puedo más con ese país.

—Lo tuyo no es lo mismo, Yvonne —replicó papá, molesto—. Tú sueñas con vivir en París, estás obcecada.

—Sí, porque eso sería lo mejor para ti, para mí, para los niños. ¿Qué porvenir se nos presenta en Buyumbura? ¿Me lo puedes decir? ¿Aparte de esta triste vida de mierda?

—¡No empieces, Yvonne! Estás hablando de tu país.

—No, no, no, no, no... ¡Mi país es Ruanda! Ahí enfrente, delante de ti. Ruanda. Yo soy una refugiada, Michel. Es lo que siempre he sido a los ojos de los burundeses. Y así me lo han hecho notar con sus insultos, sus insinuaciones, sus cuotas para extranjeros y sus *numerus clausus* en la escuela. ¡Así que déjame pensar lo que quiera de Burundi!

—Escucha, cariño —dijo él con un tono que pretendía ser tranquilizador—, mira a tu alrededor. Las montañas, los lagos, la naturaleza. Vivimos en hermosas mansiones, tenemos sirvientes, espacio para los niños, un buen clima, los negocios no nos van nada mal. ¿Qué más quieres? Nunca tendrás todo este lujo en Europa. ¡Créeme! Aquello está muy lejos de ser el paraíso que te imaginas. ¿Por qué piensas que llevo más de veinte años construyendo una vida aquí? ¿Por qué crees que Jacques prefiere quedarse en vez de regresar a Bélgica? Aquí somos unos privilegiados. Allí no seríamos nadie. ¿Por qué te niegas a entenderlo?

—Tú hablas y hablas, pero yo sé qué hay al otro lado del decorado. Tú ves colinas apacibles, pero yo conozco la miseria de los que las habitan. Te maravillas de la belleza de los lagos, pero yo he respirado el metano que duerme bajo sus aguas. Tú escapaste de la quietud de tu Francia natal en busca de aventura en África. ¡Toda tuya! Lo que yo quiero es la seguridad que nunca he tenido, el confort de criar a mis hijos en un país en el que no temamos morir porque seamos...

—Deja ya esas inquietudes y esa manía persecutoria, Yvonne. Lo dramatizas todo. Ahora tienes pasaporte francés, no tienes nada que temer. Vives en una villa en Buyumbura, no en un campo de refugiados, así que, por favor, ¡ahórrate los sermones!

—Me importa un bledo mi pasaporte, eso no cambia para nada la amenaza que ronda por todas partes. La historia de la que te hablo no te interesa, Michel, nunca te ha interesado. Tú viniste aquí en busca de un terreno de juego para prolongar tus sueños de niño mimado de Occidente...

—Pero ¿qué dices? ¡Me desesperas, francamente! Muchos africanos desearían estar en tu lugar...

Mamá lo miró fijamente, con tanta dureza que él no se atrevió a terminar la frase. Luego, más calmada, le respondió:

—Ni siquiera te das cuenta de lo que dices, mi pobre Michel. Un consejo: no te las des de racista, tú, el antiguo hippy melenudo, eso no te pega. Déjaselo a Jacques y a los otros colonos de verdad.

A Jacques se le atragantó de repente el humo del cigarrillo, pero a mamá le dio igual; se levantó, arrojó su servilleta a la cara de papá y se marchó. El cocinero llegó en ese mismo instante, con una sonrisa insolente en los labios y las cervezas Primus en una bandeja de plástico.

—¡Yvonne! ¡Vuelve ahora mismo! ¡Discúlpate con Jacques! —gritó mi padre, con el trasero ligeramente levantado de la silla y los puños sobre la mesa.

—Déjala, Michel —dijo Jacques—. Las buenas esposas...

3

Durante los días siguientes, papá intentó varias veces arreglar las cosas con mamá con palabras cariñosas o con bromas a las que ella reaccionó con la frialdad del mármol. Un domingo, inesperadamente, decidió llevarnos a comer a Resha, a la orilla del lago, a sesenta kilómetros de Buyumbura. Ése fue el último domingo que estuvimos los cuatro en familia.

Las ventanillas del coche estaban bajadas y el viento hacía tanto ruido que a duras penas podíamos oírnos. Mamá parecía ausente y papá intentaba mitigar el silencio dando explicaciones continuas que nadie había pedido:

—Mirad, aquello de allí es un algodonero rojo. Los alemanes trajeron ese árbol a Burundi a finales del siglo XIX. Produce el kapok, las fibras con las que se rellenan las almohadas.

La carretera bordeaba el lago y se dirigía directamente hacia al sur, hasta la frontera tanzana. Papá proseguía con sus explicaciones para sí mismo:

—El Tanganica es el lago con más peces y el más largo del mundo. Tiene una longitud de más de seiscientos kilómetros y una superficie mayor que la de Burundi.

Era a finales de la estación de lluvias y el cielo estaba despejado. Se podían ver los reflejos de los techos de chapa en las montañas de Zaire, a cincuenta kilómetros, al otro lado de la orilla. Las pequeñas nubes blancas parecían bolas de algodón suspendidas delante de las cimas.

El puente del río Mugere se había hundido a consecuencia de las recientes crecidas, así que atravesamos el río por su lecho. El agua se metió en el coche y, por primera vez desde que tenía el Mitsubishi Pajero, papá conectó la tracción en las cuatro ruedas. Nada más llegar a Resha, un cartel anunciaba el Restaurante le Castel. Nos adentramos por un estrecho camino de tierra bordeado de mangos y fuimos recibidos por un grupo de monos verdes que se estaban despiojando en el aparcamiento. A la entrada del restaurante, que era una extraña construcción con una cubierta de tejas rojas de la que salía un semáforo marítimo, había una placa de cobre que representaba al faraón Akenatón.

Nos instalamos en la terraza, debajo de un parasol Amstel. Tan sólo había otra mesa ocupada, cerca de la barra, y en ella almorzaba un ministro con su familia, vigilado por dos soldados armados. Los hijos del ministro eran todavía más prudentes que nosotros; no movían ni una pestaña y se limitaban a sujetar con timidez las botellas de Fanta que tenían delante. Unos altavoces difundían débilmente el sonido parasitario de una casete de Canjo Amissi y papá se balanceaba en su silla de plástico, haciendo girar las llaves en un dedo. Mamá nos observaba, a Ana y a mí, con una sonrisa triste. Cuando la camarera llegó, ella hizo el pedido:

—¡Cuatro brochetas de capitán! Dos Fruito. Dos Amstel.

Cuando se dirigía al personal de servicio, mamá nunca construía frases, enviaba telegramas. Los camareros no se merecían un verbo.

Con frecuencia, había que esperar una hora larga antes de que te sirvieran. Como el ambiente en la mesa era tedioso, con el tintineo de las llaves de papá y la sonrisa forzada de mamá, Ana y yo aprovechamos para escabullirnos y darnos un chapuzón en el lago.

—¡Niños, mucho cuidado con los cocodrilos...! —gritó papá para asustarnos.

A diez metros de la orilla, una roca emergía de la superficie del agua como la espalda redondeada de un hipopótamo. Hicimos una carrera hasta allí antes de alcanzar, más lejos, el embarcadero de metal desde el que podríamos sumergirnos y observar los paseos de los peces en el agua turquesa, entre grandes rocas. Al subir por la escalerilla, vi a mamá en la playa, con su vestido blanco, su ancho cinturón de cuero marrón y el pañuelo rojo sobre el cabello. Nos hacía señas para que fuéramos a almorzar.

Después de la comida, papá nos llevó hasta el bosque de Kigwena, para que viéramos a los babuinos. Caminamos casi una hora por un pequeño sendero lodoso sin encontrarnos más que algunos pájaros: unos turacos verdes. El ambiente entre mamá y papá seguía siendo tenso. No se hablaban y se rehuían la mirada. Yo tenía los zapatos llenos de fango. Ana corría delante de nosotros, con la intención de descubrir a los monos antes que los demás.

Luego papá nos llevó a visitar la fábrica de aceite de palma de Rumonge, cuya construcción había supervisado a su llegada a Burundi, en 1972. Las máquinas eran viejas y todo el edificio parecía recubierto por una sustancia grasienta. Había montículos de nueces de palma secándose sobre lonas azules. Un inmenso palmeral se extendía varios kilómetros a la redonda. Mientras papá nos explicaba las diferentes etapas del prensado, vi que mamá se alejaba rumbo al coche. Más tarde, en la carretera, subió las ventanillas para poner en marcha el aire acondicionado y metió una cinta de Khadja Nin en el radiocasete, y yo me puse a cantar *Sambolera* con Ana. Mamá se unió. Tenía un bonito timbre de voz que acariciaba el alma y provocaba tantos escalofríos como el aire acondicionado. Daban ganas de parar el casete para escucharla sólo a ella.

Al atravesar el mercado de Rumonge, papá cambió de marcha y, con el mismo movimiento, puso la mano sobre la rodilla de mamá. Ella la apartó con violencia, como quien espanta una mosca de su plato de comida. Papá miró de inmediato por el retrovisor y yo fingí no haber visto nada volviendo la cabeza hacia la ventanilla. En el kilómetro 32, mamá compró varias bolas de ubusagwe, pasta fría de yuca, envueltas en hojas de plátano y las guardamos en el maletero. Hacia el final del trayecto, hicimos un alto en la piedra de Livingstone y Stanley. En ella podía leerse: «Livingstone, Stanley, 25-XI-1889.» Ana y yo nos divertimos reconstruyendo el encuentro de los dos exploradores: «El doctor Livingstone, supongo.» De lejos, vi que por fin papá y mamá se hablaban. Tenía la esperanza de que hicieran las paces, de que papá la estrechara entre sus grandes brazos y mamá apoyara la cabeza sobre el hueco de su hombro y que después se cogieran de la mano para dar un paseo romántico allí abajo, entre los bananos. Pero terminé comprendiendo que discutían, con grandes aspavientos y dedos acusadores apuntándose a la nariz. El viento templado me impedía oír lo que se decían. Detrás de ellos, los bananos se agitaban, un grupo de pelícanos sobrevolaba el promontorio, el sol rojo se hundía al oeste, por detrás del altiplano, y una luz cegadora cubría la superficie brillante del lago.

Aquella noche, la rabia de mamá hizo temblar las paredes de la casa. Oí ruido de vasos que se rompían, de cristales que estallaban, de platos que se estrellaban contra el suelo.

Papá repetía:

—Yvonne, cálmate. ¡Vas a despertar a todo el vecindario!

—¡Vete a la mierda!

Los sollozos habían transformado la voz de mamá en un torrente de lodo y piedras. Una hemorragia de palabras, un zumbido de injurias que llenaba la noche. La bulla se desplazaba ahora por la parcela. Los gritos de mamá debajo de mi ventana, el parabrisas del coche, pulverizado. Luego nada más, y la violencia de nuevo en marcha, en marcha por todas partes. Yo miraba el vaivén de sus pasos en la luz que se filtraba por debajo de la puerta de mi habitación. Con el meñique agrandaba un agujero en el mosquitero de mi cama.

Las voces se mezclaban, se distorsionaban en graves y agudos, rebotaban contra el suelo enlosado, resonaban en el falso techo, y no sabía ya si los gritos y los llantos eran en francés o en kirundi, si eran mis padres que se peleaban o los perros del barrio que aullaban a la muerte. Me aferraba por última vez a la felicidad, pero tenía que apretarla bien fuerte para que no se me escapara, porque estaba empapada en aquel aceite de palma que chorreaba por las paredes de la fábrica de Rumonge y se me escurría entre las manos. Aquella noche, mamá abandonó la casa, papá ahogó sus sollozos y, mientras Ana dormía a pierna suelta, mi dedito desgarraba el velo que hasta entonces me había protegido de las picaduras de los mosquitos.

4

Para acabar de empeorar las cosas, muy pronto sería Navidad. Después de una batalla entre papá y mamá para decidir con cuál de los dos pasaríamos las fiestas, convinieron que yo me quedaría con papá y que Ana se iría con mamá a visitar a Eusébie, una tía suya que vivía en Kigali, en Ruanda. Era la primera vez que mamá regresaba a Ruanda desde 1963. La situación parecía más estable gracias a los nuevos acuerdos de paz entre el gobierno y el Frente Patriótico Ruandés, la fuerza rebelde compuesta por hijos de exiliados de la edad de mamá.

Papá y yo pasamos la Navidad solos. Recibí como regalo una bici BMX roja adornada con tiras de colores que colgaban del manillar. Estaba tan contento que con la primera luz de la mañana de Navidad, antes incluso de que papá se despertara, me la llevé a casa de los gemelos que vivían enfrente de nosotros, a la entrada de nuestro callejón. Se quedaron impresionados. Luego nos divertimos haciendo *tchélélés* en la grava. Papá llegó con su pijama a rayas, furioso, y me dio una bofetada delante de mis amigos por haber salido de casa tan pronto y sin avisarle. No lloré, o más bien fueron sólo unas lágrimas debidas, por supuesto, a la polvareda que habíamos levantado con los derrapes o quizá a una mosca que se me había metido en el ojo, ya no me acuerdo bien.

El día de Año Nuevo, papá decidió llevarme de caminata por el bosque de Kibira. Habíamos pasado la noche con los pigmeos del pueblo de los alfareros, a más de 2.300 metros de altitud. La temperatura rondaba los cero grados. A medianoche, papá me autorizó a beber unos tragos de cerveza de banana para entrar en calor y para festejar aquel nuevo año de 1993 que comenzaba. Luego nos acostamos junto al fuego, sobre la tierra arcillosa, pegados unos a otros.

Al amanecer, papá y yo abandonamos la choza de puntillas, mientras los pigmeos seguían roncando con la cabeza apoyada sobre las calabazas de urwagwa, la cerveza de banana. Fuera, el suelo estaba cubierto de escarcha, el rocío se había transformado en cristales blancos y una espesa niebla envolvía las copas de los eucaliptos. Seguimos un sendero tortuoso por el bosque. Cogí un coleóptero blanco y negro muy grande que estaba sobre un tronco podrido y lo metí en una caja de metal para empezar mi colección de entomólogo. A medida que el sol se alzaba en el cielo, la temperatura aumentaba y el frescor del alba se tornaba una humedad pegajosa. Papá caminaba delante de mí, silencioso; el sudor hacía que el pelo se le viera apagado y se lo ensortijaba en la nuca. Se oían los gritos de los babuinos en el bosque. A veces me sobresaltaba, algo se removía en el follaje, seguramente un serval o una civeta.

Al final de la jornada encontramos a un grupo de pigmeos con su jauría de perros terriers Nyam-Nyam. Venían del pueblo de los herreros, más arriba, en las montañas. Regresaban de cazar, con sus arcos en bandolera y un botín compuesto por topos, ratas de Gambia y un chimpancé, todos muertos. A papá le apasionaban aquellos hombrecitos cuyo modo de vida era el mismo desde hacía milenios. Al despedirnos de ellos, me habló con tristeza de la desaparición inevitable de aquel mundo a causa de la modernidad, del progreso y de la evangelización.

Antes de llegar al coche, en el último tramo del sendero, me pidió que me detuviera. Sacó una cámara desechable:

—¡Ponte ahí! Voy a hacerte una foto, así tendremos un recuerdo.

Trepé encima de un árbol en forma de tirachinas y me puse en pie entre los dos troncos. Papá hizo girar la rueda. ¡Atención! Se oyó un «clic» y luego el sonido de la película que se rebobinaba. Se había acabado el carrete.

En el pueblo, dimos las gracias a los pigmeos por su acogida y su hospitalidad. Los chiquillos corrieron detrás del coche durante varios kilómetros, intentando agarrarse a él, hasta que llegamos a la carretera asfaltada. En la bajada de Bugarama, nos fueron adelantando los kamikazes-banana, esos hombres en bicicleta que ruedan tan rápido como los automóviles, cargados con pesados racimos de bananas o con sacos de carbón de varias decenas de kilos. A esa velocidad, una caída suele ser mortal, y la más mínima salida del camino conduce al fondo del precipicio, a su cementerio de camiones tanzanos y minibuses despachurrados. Al otro lado de la carretera, los mismos ciclistas remontaban la montaña, después de haber entregado sus mercancías en la capital, agarrados discretamente a los parachoques traseros de los camiones. Yo me imaginaba en mi BMX roja y sus cintas descendiendo a toda velocidad las curvas de Bugarama, adelantando a coches y camiones en una carrera loca, y a los gemelos, Armand y Gino, aclamándome a mi llegada a Buyumbura como a un vencedor del Tour de Francia.

Era de noche cuando llegamos a casa. Papá tocó el claxon varias veces delante del portón sobre el que estaba colgado un cartel de «Perro peligroso. Imbwa Makali». El jardinero vino a abrirnos, renqueando, seguido por nuestro perrito de pelo blanco, rojizo y rizado, resultado del cruce casual entre un bichón maltés y un perro ratonero, en el que, por increíble que parezca, se encarnaba la advertencia colgada sobre el portón. Cuando papá bajó del coche, le preguntó de inmediato al jardinero:

—¿Dónde está Calixte? ¿Por qué eres tú quien abre el portón?

—Calixte ha desaparecido, patrón.

El perro lo seguía siempre. No tenía cola, así que movía el trasero para indicar que estaba contento. Y también retiraba los labios, con lo que daba la impresión de que sonreía.

—¿Cómo que ha desaparecido?

—Se ha ido temprano esta mañana y no regresará.

—¿A qué te refieres?

—Ha habido problemas con Calixte, patrón. Ayer celebramos el fin de año. Cuando me dormí, entró en el almacén y robó muchas cosas. Luego desapareció... Eso es lo que he constatado.

—¿Qué ha robado?

—Una carretilla, una caja de herramientas, una afiladora, una soldadora, dos botes de pintura...

El jardinero pensaba continuar con su inventario, pero papá lo interrumpió con un gesto de la mano.

—¡Está bien! ¡Está bien! El lunes lo denunciaré.

—Y también ha robado la bici del señor Gabriel —añadió el jardinero.

Al escuchar aquella frase, sentí que el alma se me caía a los pies. Imposible. No podía imaginar que Calixte fuera capaz de una cosa así. Me eché a llorar a lágrima viva. Estaba furioso con el mundo entero.

—Recuperaremos tu bici, Gaby, no te preocupes —repetía papá.

5

El domingo siguiente, víspera del regreso a la escuela, Ana volvió de Ruanda. Mamá la dejó en casa a primera hora de la tarde. Se había hecho unas trenzas finas con mechones muy rubios. A papá no le gustó, aquel color le parecía vulgar para una niña. Discutió con mamá, que puso en marcha la moto de inmediato y se marchó antes incluso de que yo tuviera tiempo de darle un beso y de desearle un feliz año. Me quedé plantado en los escalones de la entrada durante un buen rato, convencido de que regresaría cuando se diera cuenta de que se había olvidado de mí.

Y luego vinieron los gemelos para contarme sus vacaciones de Navidad en casa de su abuela, en el campo.

—¡Ha sido horrible! No había cuarto de baño, así que teníamos que lavarnos completamente desnudos en el patio, delante de todo el mundo. ¡Por amor de Dios, Gaby!

—Y como no están habituados a ver a mestizos como nosotros, los niños del pueblo venían a espiarnos a través de la verja. Gritaban: «¡Culitos blancos!»

Era humillante. La abuela les tiraba piedras para que se alejaran.

—Y ahí fue cuando se dio cuenta de que no estábamos circuncidados.

—¿Sabes qué es circuncidar?

Dije que no con la cabeza.

—¡Es cortarte el pito!

—La abuela le pidió a tío Sosthène que nos circuncidara.

—En ese momento, nosotros tampoco sabíamos lo que era. Así que, al principio, no le hicimos caso. La abuela hablaba en kirundi con el tío, y nosotros no entendíamos nada, pero ella no paraba de señalar con el dedo hacia nuestras braguetas. Queríamos llamar a nuestros padres porque sospechábamos que la abuela y el tío tramaban algo raro. Pero ya te lo he dicho, aquello es el campo y lo demás son tonterías, no hay teléfono ni electricidad. El retrete, amigo, ¡es un agujero en el suelo con moscas permanentemente a su alrededor! ¡Por amor de Dios!

Cada vez que los gemelos maldecían, decían «Por amor de Dios» y al mismo tiempo se deslizaban un dedo por el cuello, como si fuera el cuchillo con el que se degüella a un pollo. Concluían el gesto chascando los dedos en el aire, el corazón sobre el pulgar, ¡clac!

—Tío Sosthène vino con nuestros primos mayores, Godefroy y Balthazar. Nos llevaron hasta la salida del pueblo, a una pequeña casa de barro con una mesa de madera en medio del cuarto.

—El tío había comprado una hoja de afeitar en la tienda.

—Godefroy me sujetó los brazos a la espalda y Balthazar me inmovilizó las piernas. Entonces tío Sosthène me bajó los calzoncillos, me agarró el pito, lo puso sobre la mesa, sacó la cuchilla de su envoltorio, me estiró la piel y ¡ziiip! ¡Me cortó un pedazo! Después me echó agua salada para desinfectar. ¡Por amor de Dios!

—*Yébabawé!* Cuando vi eso, eché a correr directamente por las colinas como un impala perseguido por guepardos. Pero mis primos me atraparon, me sujetaron y ¡ziiip! ¡Me hicieron lo mismo!

—Luego tío Sosthène puso nuestros pedacitos de pito en una caja de cerillas y se la dio a abuela. Ella abrió la caja para comprobar que habían hecho el trabajo. ¡Tenía en la cara la *Satisfaction* de los Rolling Stones, por amor de Dios! ¡Parecía incluso malvada! Para colmo, enterró nuestros pedazos de pito en la parcela, ¡al pie de los bananos!

—¡Los pedazos de pito subieron al cielo! ¡Que Dios los tenga en su gloria!

—¡Amén!

—¡Y eso no fue todo! Tuvimos que ponernos un vestido, como las chicas, porque los pantalones nos rozaban mucho la herida, ¿comprendes?

—¡Lo del vestido fue ya la vergüenza internacional, amigo!

—Cuando nuestros padres vinieron a buscarnos al final de las vacaciones y nos encontraron con esas pintas, se sorprendieron. Nuestro padre preguntó qué hacíamos con falda.

—Se lo soltamos todo. Papá se enfadó con la vieja, ¡le dijo que éramos franceses, no judíos!

—Pero nuestra madre le explicó que hacían eso por higiene. Para que no se quedara suciedad ahí retenida.

Los gemelos siempre terminaban de contar sus historias sin aliento. Gesticulaban en todas direcciones para explicar hasta el más mínimo detalle. Incluso un sordo habría podido entenderlos. Cuando hablaban, se amontonaban las palabras y sus voces colisionaban. En cuanto uno terminaba su frase, el otro la encadenaba directamente, como se pasa un testigo en una carrera de relevos.

—¡No me lo creo! —dije.

Porque a los gemelos también les encantaba mentir. Si uno de los dos empezaba a contar una mentira, el otro la continuaba incluso sin haberse puesto de acuerdo. Era un verdadero don. Mi padre decía que eran artistas del embuste, unos auténticos ilusionistas. En cuanto les dije que se estaban burlando de mí, me respondieron a coro: «¡Por amor de Dios!», dedo al cuello, chasquido al aire, corazón sobre pulgar, ¡clac! Luego se bajaron los pantalones al mismo tiempo y vi dos pedacitos de carne roja, violácea. Cerré los ojos con asco. Mientras se subían los calzoncillos, añadieron:

—¿Sabes?, en el pueblo de nuestra abuela vimos a alguien montado en tu bicicleta. ¡Por amor de Dios!

6

La voz ronca de papá me despertó.

—¡Gaby! ¡Gaby!

Me levanté a toda velocidad, con miedo a llegar tarde a la escuela. Con frecuencia me fallaba el despertador y papá debía llamarme. Ana se adelantaba siempre y ya estaba lista, bien peinada, con pasadores en el cabello, leche de coco por todo el cuerpo, los dientes cepillados y los zapatos lustrados. Incluso se acordaba de meter su cantimplora en el frigorífico la víspera por la noche para que el agua estuviera bien fresca durante toda la mañana. Hacía los deberes a tiempo y se aprendía las lecciones de memoria. Era una niña increíble. Siempre tuve la impresión de que era mayor que yo, a pesar de que le llevaba tres años. Cuando salí al pasillo, vi que la puerta de la habitación de papá estaba cerrada. Todavía dormía. Había vuelto a picar: era el loro, que lo había imitado.

Fui a sentarme al porche, la terraza que quedaba enfrente de su jaula. Él estaba comiendo cacahuetes, que sujetaba firmemente con sus garras. Trituraba las cáscaras con su pico curvo para extraer los granos. Me miró un instante con su pupila negra en medio del ojo amarillo, luego silbó el inicio de *La Marsellesa*, que papá le había enseñado, antes de sacar la cabeza entre los barrotes de la jaula para que se la acariciara. Hundí los dedos en sus plumas grises, podía notar la carne rosa y cálida de su nuca.

Un grupo de ocas, que avanzaba en fila india por el patio, pasó delante del guarda nocturno, que estaba sentado sobre una estera, con una gruesa manta gris subida hasta el cuello y su pequeña radio, escuchando el informativo de la mañana en kirundi. En ese instante, Prothé franqueó el portón, se acercó por el sendero, subió los tres escalones de la terraza y me saludó. Había adelgazado mucho y sus rasgos marcados le daban el aspecto de un anciano, él que en condiciones normales ya parecía más mayor de lo que realmente era. No había venido a trabajar en las últimas semanas a causa de una malaria cerebral que había estado a punto de llevárselo por delante. Papá pagó los gastos médicos y las sesiones en casa del curandero. Lo seguí hasta la cocina, donde se quitó la ropa de ciudad para ponerse la de servicio: una camisa gastada, un pantalón demasiado corto y unas sandalias de plástico fluorescente.

—Señor Gabriel, ¿prefiere tortilla o huevo frito? —me preguntó, inspeccionando la nevera.

—Dos huevos al plato, por favor, Prothé.

Ana y yo estábamos ya sentados en la terraza, esperando el desayuno, cuando papá salió de la casa. Tenía algunos cortes superficiales en la cara y restos de crema de afeitar detrás de la oreja izquierda. Prothé nos trajo una bandeja grande con un termo de té, un bote de miel, un platillo de leche en polvo, margarina, mermelada de grosella y mis huevos fritos ligeramente crujientes, como me gustaban.

—¡Buenos días, Prothé! —lo saludó papá al ver su tez terrosa.

El cocinero hizo un gesto tímido con la cabeza como respuesta.

—¡Tienes mejor aspecto!

—Sí, me siento mejor, muchas gracias, señor. Gracias por su ayuda. Mi familia le está muy agradecida. Rezamos por usted, señor.

—No me lo agradezcas. Lo que he pagado por tus cuidados te lo descontaré de las próximas pagas, ya lo sabes —dijo papá con voz neutra.

El rostro de Prothé se endureció. Recogió la bandeja y desapareció en la cocina. Donatien llegó con paso oscilante. Llevaba puesto un abacost, una especie de chaqueta de manga corta de tela oscura y ligera, sin camisa ni corbata, que Mobutu impuso a los zaireños para evitar la moda colonial. Donatien era el capataz de papá desde hacía veinte años, su empleado más fiel. En las obras, los trabajadores lo llamaban *mzee*, el viejo, aunque sólo tenía cuarenta años. Donatien era un zaireño que había llegado a Burundi después de terminar el bachillerato, para trabajar en la fábrica de aceite de palma de Rumonge, que papá supervisaba en esa época. Nunca regresó a su país. Vivía en la zona norte de la ciudad, en el barrio de Kamenge, con su mujer y sus tres hijos. Unos capuchones de bolígrafo sobresalían del bolsillo de su camisa y, siempre que podía, Donatien leía pasajes de la biblia que guardaba en un morral de piel de cocodrilo. Cada mañana, papá le daba las instrucciones para la jornada y le confiaba cierta cantidad de dinero para pagar a los jornaleros.

Unos instantes más tarde, Innocent se presentó también en la terraza para que papá le entregara las llaves de la camioneta de servicio. Innocent era un joven burundés de apenas veinte años. Alto y delgado, con una cicatriz vertical que le surcaba la frente y le daba un aire severo que él además practicaba a propósito. Daba vueltas permanentemente, de un lado a otro de la boca, a un mondadientes masticado mil veces. Llevaba pantalón ancho, una gorra de béisbol, zapatillas gruesas y blancas de deporte y una muñequera roja, verde y amarilla, es decir, con los colores panafricanos. Con frecuencia se mostraba altanero y malhumorado con los otros empleados, pero papá lo apreciaba mucho. Innocent era mucho más que el chofer de la empresa, era su hombre para todo. Conocía perfectamente Buyumbura y tenía acceso a todo el mundo. A los mecánicos de Bwiza, los chatarreros de Buyenzi, los comerciantes del barrio asiático, los militares del campamento Muha, las prostitutas de Kwijabe, los vendedores de albóndigas del mercado central... Siempre sabía a quién había que untar para que avanzaran las gestiones administrativas bloqueadas durante meses en los despachos de funcionarios de tres al cuarto. Los polis nunca lo paraban y los niños de la calle vigilaban gratis su vehículo.

Después de transmitir sus órdenes, papá vació el resto del termo de té en la maceta de una adelfa de hojas tristes, le silbó dos segundos de *La Marsellesa* al loro y todos nos subimos al coche.

7

La escuela francesa de Buyumbura agrupaba en un vasto terreno clases de todos los cursos desde preescolar hasta el último año. Tenía dos entradas principales. Del lado del estadio Príncipe Louis Rwagasore y del bulevar de la Independencia: la entrada de los mayores, que daba directamente al edificio de administración y a las aulas del colegio y del instituto. En la esquina de la avenida Muyinga y el bulevar Uprona: la entrada de los pequeños de preescolar. La escuela primaria estaba en medio. Papá tenía la costumbre de dejarnos en la entrada de los pequeños.

—Innocent vendrá a buscaros a mediodía y os llevará a la tienda de vuestra madre. Yo volveré mañana, tengo una obra en el interior del país.

—De acuerdo, papá —dijo Ana, muy formal.

—Gabriel, el próximo sábado acompañarás a Innocent y a Donatien a Cibitoke para ver qué historia es esa de la bici. Tienes que ir con ellos para identificarla. No te preocupes, la recuperaremos.

• • •

Aquella mañana había mucho alboroto en clase. El maestro nos había dado a cada uno una carta diferente, enviadas por alumnos del último curso de primaria de una escuela de Orleans, en Francia. Todos estábamos muy emocionados por conocer a nuestro corresponsal. En mi sobre, mi nombre estaba escrito en letras mayúsculas de color rosa, rodeado de banderas francesas, estrellas y varios corazones. El papel olía mucho a un perfume dulzón. Desplegué la carta con cuidado. La escritura era uniforme y estaba inclinada hacia la izquierda:

Viernes, 11 de diciembre de 1992

Querido Gabriel:
    Me llamo Laure y tengo diez años. Estoy en tu mismo curso. Vivo en Orleans, en una casa con jardín. Soy alta, tengo el cabello rubio y me llega a los hombros, los ojos verdes y pecas. Mi hermano pequeño se llama Mathieu. Mi padre es médico y mi madre no trabaja. Me gusta jugar al baloncesto y sé cocinar crepes y pasteles. ¿Y tú?
    También me gusta cantar y bailar. ¿Y a ti? Me gusta ver la televisión. ¿Y a ti? No me gusta leer. ¿Y a ti? Cuando sea mayor seré médico, como mi padre. En vacaciones voy a casa de mis primos en la Vendée. El año que viene visitaré un parque de atracciones nuevo que se llama Disneyland. ¿Lo conoces? ¿Puedes enviarme una foto tuya?
    Espero tu respuesta con impaciencia.
    Un beso,

Laure

P. D. ¿Has recibido el arroz que enviamos?

Laure había metido una foto suya en el sobre. Se parecía a una de las muñecas de Ana. Aquella carta me intimidaba. Me sonrojé al leer la palabra «beso». Era como si acabara de recibir un paquete de golosinas; de repente tenía la impresión de estar abriendo las puertas de un mundo misterioso que no me imaginaba. En algún lugar lejano, Laure, aquella niña de Francia, con sus ojos verdes y sus cabellos rubios, estaba dispuesta a besarme, a mí, a Gaby del barrio de Kinanira. Tenía miedo de que alguien se diera cuenta de mi emoción, así que guardé rápidamente su foto en un bolsillo de mi cartera y volví a meter la carta en el sobre. Me preguntaba qué foto mía podría enviarle.

En la hora siguiente, el maestro nos pidió que escribiéramos las respuestas a nuestros amigos por correspondencia.

Lunes, 4 de enero de 1993

Querida Laure:

Me llaman Gaby. En cualquier caso, todo tiene un nombre. Los caminos, los árboles, los insectos... El de mi barrio, por ejemplo, es Kinanira. El de mi ciudad es Buyumbura. El de mi país es Burundi. Mi hermana, mi madre, mi padre, mis amigos, todos tienen un nombre. Un nombre que no han escogido. Se nace con él, es así. Un día les pedí a las personas a las que quiero que me llamaran Gaby en lugar de Gabriel; lo hice para escoger yo también más allá de lo que eligieron aquellos que escogieron por mí. ¿Podrías llamarme tú también Gaby, por favor? Tengo los ojos marrones, así que veo a los otros en ese color. Mi madre, mi padre, mi hermana, Prothé, Donatien, Innocent, mis amigos... todos son café con leche. Cada cual ve el mundo a través del color de sus ojos. Como tú los tienes verdes, para ti será verde. A mí me gustan mucho cosas que no me gustan. Me gusta el dulzor del helado, pero no el frío. Me gusta la piscina, pero no el cloro. Me gusta la escuela por los amigos y el ambiente, pero no las clases. Gramática, conjugación, restas, redacción, castigos, ¡es una lata, un horror! Más adelante, cuando sea mayor, quiero ser mecánico, para no quedarme nunca tirado en la vida. Hay que saber reparar las cosas cuando dejan de funcionar. Pero todo eso será dentro de mucho, sólo tengo diez años y el tiempo pasa despacio, sobre todo por la tarde, porque no hay clase, y los domingos, porque no tengo nada que hacer en casa de mi abuela. Hace dos meses nos vacunaron en el patio a toda la escuela contra la meningitis. Ponerse enfermo de las meninges es grave, porque ya no puedes pensar, o eso parece. Así que el director de la escuela les insistió a todos los padres para que nos pusiéramos la inyección; es normal, nuestras meninges son asunto suyo. Este año va a haber elecciones para escoger al presidente de la República de Burundi. Es la primera vez que ocurre. Yo no podré votar, tengo que esperar a ser mecánico, pero te diré el nombre del vencedor. ¡Prometido!

Hasta pronto.

Un beso,

Gaby

P. D. Voy a informarme sobre el arroz.

8

Innocent, Donatien y yo nos pusimos en camino muy temprano. La camioneta avanzaba más rápido de lo que era habitual cuando llevaba los sacos de cemento, las palas y los picos que solían amontonar sobre la parte trasera. Formábamos un curioso equipo los tres. Eso fue lo que pensé cuando cruzamos el primer control militar a la salida de Buja. ¿Qué les dirían a los soldados si nos paraban? ¿Que salíamos de expedición al alba, rumbo a la otra punta del país, en busca de una bici robada? Teníamos pinta sospechosa, eso seguro. Innocent iba al volante, mascando su eterno mondadientes. Esa manía me desagradaba. Todos los perdedores de Buyumbura la tenían. Querían parecer más viriles, se las daban de vaqueros. Seguro que un pobre tipo había querido hacerse el interesante después de ver una película de Clint Eastwood una tarde en el cine Caméo, y en poco de tiempo esa moda se había extendido por la ciudad como un reguero de pólvora. En Buyumbura hay dos cosas que van deprisa: los rumores y las modas.

Donatien estaba incómodo, se removía desde que habíamos salido. Su asiento era el del medio y no podía poner bien las piernas a causa de la palanca de cambios. Iba de lado, con el hombro izquierdo apoyado en el de Innocent y las piernas torcidas. Yo me había empecinado en ir junto a la ventanilla, porque llovía y me gustaba ver las carreras de gotas de agua en el cristal y echar el aliento sobre éste para dibujar en el vaho. Eso me ayudaba a pasar el rato en los largos trayectos por el interior del país.

Cuando llegamos a Cibitoke ya no llovía. Donatien se negó a que tomáramos la pista que llevaba a casa de la abuela de los gemelos porque había demasiado lodo y nos arriesgábamos a que el vehículo se quedara atascado. Propuso continuar a pie, pero Innocent no quería ensuciarse las zapatillas blancas. Así que yo seguí adelante con Donatien y dejamos a Innocent solo en la camioneta, hurgándose entre los dichosos dientes.

En las colinas, incluso cuando piensas que estás solo, hay cientos de pares de ojos que te observan y tu presencia es anunciada en kilómetros a la redonda por voces que rebotan de choza en rugo.[1] Así que cuando llegamos a la casa de la vieja, ella nos esperaba ya con vasos de leche cuajada en las manos. Ni Donatien ni yo hablábamos bien kirundi, sobre todo no el kirundi complicado y poético de las colinas, ese en el que las palabras en suajili y francés no bastan para llenar las lagunas de la lengua. En realidad, yo nunca había aprendido a hablar kirundi, porque en Buja todo el mundo hablaba francés. Por su parte, Donatien era un zaireño de Kivu y los zaireños de Kivu a menudo

---

1. Casa tradicional típica de Burundi y de Ruanda.

no hablan más que suajili y el correcto francés de la Sorbona.

Pero allí era otra historia. En el interior del país no puede hablarse con gente como la abuela de los gemelos, porque su kirundi contiene demasiadas sutilezas, referencias a proverbios inmemoriales y expresiones que datan de la Edad de Piedra. Ni Donatien ni yo estábamos a la altura. La vieja, aun así, intentaba explicarnos dónde podíamos encontrar al nuevo propietario de la bicicleta. Como no entendíamos ni una maldita palabra, volvimos al coche con Godefroy y Balthazar, los famosos primos cortadores de pitos, en busca de Innocent, que debía hacer las veces de traductor. Con los primos, que habían aceptado mostrarnos el camino, en la trasera de la camioneta, regresamos a la carretera asfaltada. Dos kilómetros después de la salida de la ciudad, otra pista nos llevó hasta un pueblo donde encontramos a un tal Mathias, que era al que los gemelos habían visto subido a mi bici. El Mathias en cuestión se la había revendido a un tipo llamado Stanislas, de Gihomba. Volvimos a subir al coche, con los dos primos y Mathias, y dimos con el famoso Stanislas, que también había revendido la bici, en su caso a un apicultor de Kurigitari. De modo que partimos de nuevo en dirección a Kurigitari, con Stanislas también a bordo. Lo mismo sucedió con el apicultor, al que embarcamos para que nos indicara la dirección del nuevo propietario, un tal Jean-Bosco, de Gitaba. Al llegar a Gitaba, nos avisaron de que Jean-Bosco estaba en Cibitoke. Regresamos entonces allí, y Jean-Bosco nos informó que acababa de venderle la bici a un agricultor de Gitaba...

Media vuelta. Pero unos policías nos detuvieron en la calle principal de Cibitoke para preguntarnos qué hacíamos nueve personas apretujadas en una camioneta. Innocent comenzó a contar la historia de la bici robada y la búsqueda del nuevo propietario. Era mediodía y empezaron a acudir curiosos. Muy pronto, cientos de personas se habían agrupado alrededor del vehículo.

Enfrente de nosotros se hallaba el *cabaret* principal, el mayor expendedor de bebidas de la ciudad. El alcalde y algunos notables del distrito estaban allí, dando cuenta de un lote de brochetas de cabra acompañadas de cerveza Primus caliente. El gentío que se agolpaba a nuestro alrededor llamó enseguida su atención. El alcalde se levantó tranquilamente de su taburete. Se dio la vuelta, se subió los pantalones, se ajustó el cinturón y luego se dirigió hacia nosotros como un camaleón fatigado, abriéndose paso entre la multitud con su amplia barriga, su morro grasiento y su camisa color caca de oca manchada de jugo de carne. Su rostro era fino y alargado, pero su gran trasero de señorona le subía hasta la mitad de la espalda y tenía el vientre tenso y duro, como el de una mujer que está llegando al final de su embarazo. Parecía una calabaza.

Mientras todo aquel nutrido paisanaje parloteaba, reconocí de pronto a Calixte entre el gentío. El Calixte que me había robado la bici... Apenas tuve tiempo de dar la alerta, cuando salió pitando tan rápido como una mamba verde. La ciudad entera echó a correr detrás de él, como se persigue un pollo al que se va a decapitar para el almuerzo. En la aburrida provincia no hay nada mejor para matar el tiempo que un poco de sangre durante las horas muertas del mediodía. Justicia popular, ése es el nombre que se le da al linchamiento; tiene la ventaja de sonar civilizado. Por suerte, aquel día el vecindario no tuvo la última palabra. Habían atrapado a Calixte, pero la policía puso rápidamente fin al apaleamiento democrático. El alcalde intentó aprovechar el suceso: haciéndose el prudente, trató de calmar los ánimos caldeados con un discurso pomposo sobre la importancia de ser un ciudadano honesto. Pero habida cuenta la hora y el calor que hacía, sus arrebatos líricos no tardaron en desinflarse. Se detuvo en medio de su alocución y volvió a su verdadero sitio, que era delante de una cerveza, para calmar su propio ánimo. Calixte, al que habían sacudido de lo lindo, fue conducido al calabozo municipal y Donatien se apresuró a presentar la denuncia.

Pero que Calixte estuviera entre rejas no solucionaba el problema de mi bici. Decidimos buscar al agricultor de Gitaba. Para ello, había que tomar de nuevo la pista que llevaba a casa de la abuela de los gemelos. Por pura cabezonería, Innocent metió la camioneta por el camino embarrado, a pesar de las insistentes advertencias de Donatien sobre el riesgo de quedarnos atascados. En la susodicha Gitaba había una casita de adobe con el tejado cubierto de hojas de banano. La choza estaba en la cima de una colina y, por un instante, la vista nos dejó pasmados. La lluvia había limpiado el cielo y los rayos del sol levantaban espirales de bruma rosada del suelo empapado, que se elevaban sobre la inmensa planicie verde atravesada por las aguas ocres del río Rusizi. Donatien admiraba el espectáculo con religioso silencio e Innocent, que pasaba olímpicamente, se sacaba la mugre de debajo de las uñas con el mismo maldito mondadientes que llevaba en la boca a todas horas. La belleza del mundo no era asunto suyo, él no se interesaba más que por la suciedad de su cuerpo.

En el patio había una mujer arrodillada sobre una estera, atareada moliendo sorgo. Detrás de ella, un hombre sentado en un taburete nos invitó a acercarnos. Era el agricultor. En mi casa, cuando llega un desconocido, papá, antes incluso de darle los buenos días, le ladra «¿A qué ha venido?», con tono irritado. Allí, por el contrario, había contención, cortesía. Uno no se sentía como un extraño. Habíamos irrumpido de improviso, con nuestras pintas extrañas, en su pequeño patio perdido en la cima de la montaña y teníamos la agradable impresión de que hacía tiempo que se nos esperaba. Antes incluso de conocer la razón de nuestra visita, el agricultor nos invitó a sentarnos en su patio. Acababa de regresar del campo. Tenía los pies desnudos, resecos por el barro, y llevaba una camisa remendada y un pantalón de algodón remangado hasta las rodillas. Detrás de él, apoyada contra la pared de la choza, había una azada manchada de tierra. Una muchacha nos trajo tres sillas, mientras que la mujer nos sonreía sin dejar de moler los granos de sorgo entre dos piedras.

En cuanto estuvimos instalados, un muchacho de mi edad entró en el patio pedaleando sobre mi bici. Yo no lo pensé ni un instante, salté de la silla y me lancé hacia él para agarrar el manillar. La familia se levantó, preguntándose qué sucedía y dirigiéndonos miradas desconcertadas. El chico estaba tan sorprendido que no se resistió cuando le quité la bici de las manos. Se hizo un silencio muy incómodo y Donatien sacudió por el hombro a Innocent, pidiéndole que tomara la palabra y explicara en kirundi la razón de nuestra presencia allí. Innocent hizo un esfuerzo sobrehumano para levantarse de la silla, en la que ya se había aposentado. Parecía cansado de repetir las explicaciones que les había dado un poco antes a los policías, pero terminó por contar con voz monocorde la historia entera, desde el principio. La familia escuchaba en silencio. El rostro del chico se fue descomponiendo a medida que comprendía la situación. Cuando Innocent terminó, el campesino comenzó a darnos explicaciones a su vez, ladeando la cabeza hacia la izquierda y levantando las palmas de las manos hacia el cielo, como si nos implorase que le perdonáramos la vida. Dijo que había tenido que sacrificarse para hacerle aquel regalo a su hijo, que había tenido que ahorrar durante mucho tiempo, que ellos eran gente modesta y buenos cristianos. Innocent daba la impresión de no estar escuchándolo, pues se estuvo rascando el interior de la oreja con el mondadientes y luego inspeccionó con gran interés las impurezas que había en el extremo del palillo.

Donatien, turbado por el desasosiego de nuestros anfitriones, no se atrevía a decir nada. Aunque el campesino seguía hablando, Innocent se acercó a mí, agarró la bici y la cargó en la parte trasera de la camioneta. Luego, irritado y con frialdad, aconsejó a la familia que se dirigiera al responsable de su infortunio, que se encontraba preso en Cibitoke. Les dijo que bastaba con que presentaran una denuncia contra Calixte para recuperar su dinero. A continuación, me hizo señas para que subiera al vehículo. Donatien se nos unió arrastrando los pies. Me daba cuenta de que se devanaba los sesos para encontrar una solución. Cuando se sentó a mi lado en la cabina, inspiró profundamente.

—Gabriel, por caridad, no nos llevemos la bici. Lo que estamos a punto de hacer es peor que robar. Le estamos rompiendo el corazón a un niño.

—Pues vaya —replicó Innocent.

—¿Y yo qué? —respondí, contrariado—. A mí también me rompieron el corazón cuando Calixte me robó la bici.

—Por supuesto, pero la bici tiene menos importancia para ti que para ese niño —prosiguió Donatien—. Él es muy pobre y su padre ha trabajado duro para hacerle ese regalo. Si nos la llevamos, nunca más podrá tener otra.

Innocent fulminó a Donatien con la mirada.

—¿A qué juegas? ¿Te crees Robin de los Bosques? Como esa familia es pobre, ¿hay que dejar que se quede con algo que no le pertenece?

—Innocent, tú y yo crecimos en esa pobreza. Sabemos que nunca recuperarán el dinero y que, al final, habrán perdido injustamente los ahorros de años. Sabes muy bien cómo son las cosas, amigo.

—¡Yo no soy tu amigo! Y un consejo: deja de apiadarte de la gente. En estas zonas tan remotas son todos unos mentirosos y unos ladrones, a cuál más.

—Gabriel —insistió Donatien, que se volvió de nuevo hacia mí—, podemos decirle al patrón que no hemos encontrado la bici y te comprará otra. Será un pequeño secreto entre nosotros, que Dios nos perdonará porque es para hacer el bien. Para ayudar a un niño pobre.

—¿Es que acaso piensas mentir? —preguntó Innocent—. Creía que tu buen Dios lo prohibía. Deja tranquilo a Gabriel, deja de hacer que se sienta culpable. De todos modos, el chaval no es más que un jodido campesino, ¿para qué quiere una BMX? ¡Venga ya!

Yo no quise volverme ni mirar por el retrovisor. Nuestra misión estaba cumplida. Habíamos recuperado mi bici. Lo demás no era asunto nuestro, como decía Innocent.

Cuando, unos minutos más tarde, nos quedamos atascados, tal como había predicho Donatien, éste recitó un pasaje de la Biblia que hablaba de los tiempos difíciles, de los hombres egoístas y de los últimos días, y empezó a decir en voz baja todo tipo de cosas que me asustaban. Daba por supuesto que Dios nos estaba castigando por nuestra mala acción. Durante todo el trayecto, fingí dormir para evitar cruzarme con su mirada. Me costaba encontrar una justificación a nuestro acto, la vergüenza me invadía.

Al llegar a casa, les anuncié a Innocent y a Donatien que no volvería a tocar aquella bici en toda mi vida, para redimirme de mi conducta. Innocent me miró fijamente, incrédulo, luego soltó con tono exasperado: «Niño mimado», y se fue al kiosco a comprar un paquete nuevo de mondadientes. Donatien se inclinó hacia mí, su cabezota testaruda estaba a pocos centímetros de mi cara. Su aliento acre sugería un estómago vacío y ácido. Sus ojos, rebosantes de una fría cólera, me miraron hasta el fondo del alma.

—El mal está hecho, muchacho —dijo, pronunciando las palabras lentamente.

9

En Buyumbura, la abuela residía en una casita con la fachada verde, en el OCAF (Servicio de Ciudades Africanas) Ngagara, barrio 2. Vivía con su madre, mi bisabuela Rosalie, y con su hijo, mi tío Pacifique, que estaba en el último año del instituto Saint-Albert. Pacifique era un auténtico guaperas. Todas las chicas del barrio le iban detrás, pero a él sólo le gustaban los cómics, su guitarra y cantar. No tenía una voz tan hermosa como la de mamá, pero su fuerza interpretativa era notable. Le entusiasmaban los cantantes franceses románticos que se oían incesantemente por la radio, los que hablaban de amor y de tristeza, y de tristeza en el amor. Cuando las entonaba, aquellas canciones se volvían suyas. Cerraba los ojos, gesticulaba, lloraba y en esos momentos toda la familia guardaba silencio, incluso la anciana Rosalie, que no comprendía ni una palabra de francés. Lo escuchaban sin moverse, o quizá moviendo sólo la punta de las orejas, como los hipopótamos que asoman en las aguas del puerto.

Los vecinos del OCAF eran sobre todo ruandeses que habían abandonado su país para escapar de las matanzas, masacres, guerras, pogromos, depuraciones, destrucciones e incendios, de las moscas tse-tsé, los pillajes, las segregaciones, las violaciones, los asesinatos, los ajustes de cuentas y no sé cuántas cosas más. Como mamá y su familia, habían huido de todos esos problemas, pero habían encontrado otros nuevos en Burundi: la pobreza, la exclusión, las cuotas, la xenofobia, el rechazo, los chivos expiatorios, la depresión, la añoranza del país, la nostalgia. Problemas de refugiados.

El año en que cumplí ocho estalló la guerra en Ruanda. Fue al inicio del último curso de primaria. Había oído en la radio que los rebeldes —a los que llamaban Frente Patriótico Ruandés (FPR)— habían atacado Ruanda por sorpresa. Ese ejército del FPR estaba formado por hijos de refugiados ruandeses —la generación de mamá y de Pacifique— llegados de los países limítrofes: Uganda, Burundi, Zaire... Mamá se puso a bailar y a cantar cuando se enteró de la noticia. Nunca la había visto tan feliz.

Pero su alegría duró poco. Unos días más tarde se enteró de la muerte de Alphonse. Alphonse era el otro hermano de mamá, el hijo mayor, el orgullo de la abuela. Un hombre brillante. Un ingeniero físico-químico titulado en las mejores universidades de Europa y América. Alphonse, que me había dado clases de matemáticas y que había despertado en mí el deseo de ser mecánico. Papá, que lo quería mucho, decía: «Con diez Alphonses, Burundi se convertiría en Singapur en poco tiempo.» Alphonse era el primero de la clase con la actitud relajada de un mal alumno. Siempre bromeaba, armaba jaleo, nos hacía cosquillas en los sobacos y le daba besos a mamá en el codo para incordiarla. Y cuando Alphonse reía era como si las paredes del saloncito de la abuela se colorearan de alegría.

Había partido al frente sin avisar a nadie, sin dejar siquiera una carta. En el FPR se burlaban de sus diplomas. Para ellos, él era un soldado como los demás. Murió allí, como un valiente, por un país que no conocía y en el que nunca había puesto los pies. Murió allí, entre el fango, en el campo de batalla de un campo de yuca, como cualquiera que no supiera sumar dos más dos, ni leer, ni escribir.

Cuando bebía de más, Alphonse caía en la melancolía de los hijos de exiliados. Un día, como si hubiera tenido un presentimiento, se puso a hablar de su funeral. Dijo que quería una gran fiesta con payasos y malabaristas y taparrabos de colores, como los del mercado central, y comedores de fuego y oraciones al sol y nada de un réquiem plúmbeo, de cánticos de Simeón o de caras de entierro. El día de las exequias de tío Alphonse, Pacifique cogió la guitarra y entonó su canción preferida. Era la historia de un antiguo combatiente que denuncia el despropósito de la guerra. Una canción como Alphonse: divertida en la superficie y triste en el fondo. Pero Pacifique no pudo llegar al final, sus cuerdas vocales lo traicionaron.

Ahora era Pacifique quien había decidido partir a la guerra. Le había hablado de ello a la abuela. Así que aquella mañana de domingo, cuando regresamos de la misa y nos sentamos a la mesa, mamá no esperó para abordar el tema.

—Pacifique, estamos preocupados por ti. El profesor Kimenyi se ha puesto en contacto con la abuela. ¿Ya no vas a Saint-Albert?

—Todos los ruandeses de mi promoción están en el frente. ¡Yo también me preparo para hacerlo, hermana mayor!

—Debes esperar. Los acuerdos de paz darán sus frutos. Hace diez días estuve en casa de tía Eusébie, en Kigali: tienen esperanzas, piensan que las cosas se pueden arreglar por la vía política. ¡Sé paciente, por favor!

—No tengo ninguna confianza en esos extremistas. El gobierno ruandés finge ante la comunidad internacional, pero en el interior del país continúa armando a las milicias e incitando a la violencia en los medios de comunicación, a cometer masacres y asesinatos selectivos. Los políticos mantienen el discurso del odio, animan a la población a cazarnos, a arrojarnos al río Nyabarongo. Tenemos que organizarnos nosotros también. Debemos estar preparados para combatir si los acuerdos de paz fracasan. Está en juego nuestra supervivencia, hermana mayor.

Las viejas no decían nada. Mamá tenía los ojos cerrados y se masajeaba las sienes. La radio de los vecinos emitía cantos litúrgicos. Se oía el tintineo de nuestros tenedores contra los platos. Una ligera brisa agitaba la cortina de la ventana. Con el calor, una fina película de sudor brillaba sobre la hermosa piel de Pacifique. El pedazo de carne que masticaba hacía que se le contrajeran los músculos de las mandíbulas y yo adivinaba lo que no se mencionaba en la mesa, lo que estaba tan presente como las moscas

63

que Ana retiraba de la salsa de tomate: la muerte de Alphonse.

Después del almuerzo, la abuela nos ordenó a todos que fuésemos a descansar. Como de costumbre, yo dormía la siesta en la habitación de Pacifique, la que mamá había ocupado de jovencita. No había ventana, tan sólo dos camas a ambos lados del pequeño cuarto, y una bombilla pintada de rojo, que colgaba de un cable pelado, arrojaba una luz siniestra contra las paredes verdes cubiertas de pósteres. Pacifique dormía directamente sobre los resortes del somier; decía que era para habituarse a las duras condiciones de vida en el frente. Por la mañana se levantaba temprano e iba a entrenar a la playa con un grupo de jóvenes ruandeses. Corrían sobre la arena a lo largo de la costa. Algunos días no comía más que un puñado de judías para experimentar el hambre y las privaciones.

Echado en la cama, yo rememoraba la imagen del chico al que le había quitado mi bici la víspera, y también la lección moral de Donatien sobre la obra de Dios, la entrega de uno mismo, el sacrificio y todas aquellas cosas que le hacían sentirse a uno terriblemente culpable... Desde el día anterior, me sentía egoísta y vanidoso, aquella historia me avergonzaba, había pasado de víctima a verdugo simplemente por querer recuperar lo que me pertenecía. Necesitaba hablar de aquello con alguien, librarme de esos pensamientos sombríos.

—Pacifique, ¿estás dormido? —murmuré.

—Mmm...

—¿Crees en Dios?

—¿Qué?

—¿Crees en Dios?

—No, soy comunista. Creo en el pueblo. Y ahora ¡déjame!

—¿Quién es ése, el que está en el calendario, encima de tu cama?

—Fred Rwigema, el jefe del FPR. Es un héroe. Gracias a él combatimos. Nos ha devuelto el orgullo.

—Entonces, ¿vas a combatir junto a él?

—Ha muerto. Al inicio de la ofensiva.

—Ah... ¿Quién lo mató?

—Haces demasiadas preguntas, pequeño. ¡Duérmete!

Con un chirrido metálico, Pacifique se dio la vuelta hacia la pared. Yo nunca dormía a la hora de la siesta y no comprendía el porqué de aquella actividad. La noche me bastaba para recuperar fuerzas. Así que esperaba que el tiempo pasara. Tenía autorización para levantarme sólo si oía a algún adulto moverse por la casa. Así que acechaba cada ruido, la primera señal de movimiento que me permitiera abandonar aquel colchón. A veces tenía que esperar dos horas. La puerta entreabierta del cuarto daba al salón y dejaba entrar un poco de luz. Yo examinaba los pósteres de las paredes. Había páginas de revistas pegadas de cualquier manera con cola. Las estrellas de la juventud de mamá se codeaban con las de Pacifique. France Gall entre Michael Jackson y Jean-Pierre Papin; una foto de Juan Pablo II en Burundi tapaba una pierna de Tina Turner y la guitarra de Jimi Hendrix; la publicidad de un dentífrico keniata pisaba una imagen de James Dean. Para matar el tiempo, también cogía los cómics de Pacifique, que estaban debajo de la cama: Alain Chevallier, el Diario de Spirou, Tintín, Rahan...

Cuando en la casa empezó a haber movimiento, me precipité fuera de mi cama para ir con Rosalie. Cada tarde, ella llevaba a cabo el mismo ritual. Se sentaba en una estera en el patio trasero, abría su tabaquera de marfil vegetal, tomaba un poco de tabaco para llenar su pipa de madera, encendía una cerilla y aspiraba, con los ojos cerrados, a pequeñas bocanadas, los primeros aromas del tabaco fresco. A continuación, sacaba de una bolsa de plástico unas fibras de pita o unas hojas de banano y confeccionaba posavasos o cestos cónicos. Vendía su artesanía en el centro, para llevar un poco de dinero a la casa, que sólo se mantenía gracias al escaso salario de enfermera de la abuela y a las ayudas esporádicas de mamá.

Rosalie tenía el pelo rizado, de un blanco ceniza, y se le alzaba como un gorro por encima de la cabeza. Eso le daba a la misma una forma oblonga, cuyas dimensiones parecían desproporcionadas si se la comparaba con el delicado cuello que la sostenía; podría decirse que era como un balón de rugby en equilibrio sobre una aguja.

Rosalie tenía casi cien años. A veces hablaba de la vida de un rey que se había rebelado contra los colonos alemanes, y luego contra los belgas, y que había tenido que exiliarse al extranjero porque se negaba a convertirse al cristianismo. Yo no conseguía interesarme por aquellas tonterías relacionadas con monarquías y sacerdotes blancos. Bostezaba y Pacifique, irritado, me reprochaba mi falta de curiosidad. Mamá le replicaba que sus hijos eran francesitos, que no hacía falta que nos aburriera con sus historias de ruandeses. Pacifique se pasaba las horas escuchando a la vieja hablar sobre la antigua Ruanda, sobre las hazañas de guerra más destacadas, sobre la poesía pastoril, los poemas panegíricos, las danzas Intore, la genealogía de los clanes, los valores morales...

La abuela quería que mamá nos hablara en kinyaruanda, pues decía que esa lengua nos ayudaría a conservar nuestra identidad a pesar del exilio y que, si no, nunca nos convertiríamos en buenos banyaruandas, en «los que vienen de Ruanda». A mamá le daban igual esos argumentos; para ella nosotros éramos blanquitos, con un ligero tono caramelo en la piel, pero blancos de todos modos. Si se nos ocurría decir algunas palabras en kinyaruanda, de inmediato se burlaba de nuestro acento. En medio de todo eso, he de decir que yo pasaba por completo de Ruanda, de su realeza, sus vacas, sus montes, sus lunas, su leche, su miel y su asquerosa hidromiel.

La tarde llegaba a su fin. Rosalie seguía hablando de su época, de sus recuerdos en sepia de una Ruanda idealizada. Repetía que no quería morir en el exilio, como el rey Musinga. Que era importante que se apagara sobre su tierra, en el país de sus antepasados. Rosalie hablaba suavemente, despacio, con la entonación de un intérprete de cítara, como un dulce murmullo. Las cataratas le ponían los ojos azules. Parecía como si, en cualquier momento, unas lágrimas fueran a rodar por su mejilla.

Pacifique bebía de las palabras de la vieja. Balanceaba la cabeza, se dejaba acunar por la nostalgia de su abuela. Se acercó a ella para tomar la manita lacia y huesuda entre las suyas y le susurró que las persecuciones se iban a terminar, que había llegado el momento de regresar a casa, que Burundi no era su país, que no tenían vocación para ser refugiados eternamente. La vieja se aferraba a su pasado, a su patria perdida, y el joven le vendía su porvenir, un país nuevo y moderno para todos los ruandeses sin distinción. Sin embargo, los dos hablaban de lo mismo. Del regreso al país. Una pertenecía a la Historia, y el otro debía hacerla.

Un viento cálido nos envolvió, se arremolinó un instante a nuestro alrededor y volvió a partir lejos, llevándose con él esas promesas preciadas. En el cielo, las primeras estrellas se encendieron tímidamente. Miraban el pequeño patio de la abuela, allí abajo, en la Tierra, un cuadrado de exilio en el que mi familia intercambiaba los sueños y las esperanzas que la vida parecía imponerles.

10

Al principio fue una idea de Gino. Quería ponerle un nombre a la banda. Lo buscamos durante mucho tiempo. Pensamos en «Los tres mosqueteros», pero éramos cinco. Los gemelos no proponían más que nombres estúpidos, del estilo «Los cinco dedos de la mano» o «Los mejores amigotes del mundo». Entonces Gino tuvo la idea del nombre americano. En aquella época, los americanos estaban de moda en la escuela y todo el mundo utilizaba la palabra «*cool*» a cada momento, caminaba balanceándose, se hacía cortes de pelo con dibujos y jugaba al baloncesto vestido con prendas amplias. Pero Gino tuvo aquella idea sobre todo a causa de los cantantes americanos Boyz II Men, que salían los sábados en la tele en el programa «Más allá del Sonido». Nos pareció bien, porque había un burundés en ese grupo, y eso le rendía homenaje. En fin, no era seguro, pero en Buyumbura corría el rumor, el chisme, de que el tipo alto y flaco de los Boyz II Men era de Bwiza o Nyakabiga, aunque ningún periodista hubiera confirmado la información. Gino también propuso el nombre, los Kinanira Boyz, para presentarnos como los nuevos reyes de la calle, demostrar que controlábamos el barrio y que nadie más podía instaurar su ley.

El callejón era la zona que conocíamos mejor, era allí donde vivíamos los cinco. Los gemelos enfrente de mi casa, a la entrada del callejón, en la primera vivienda a la izquierda. Eran mestizos: su padre era francés y su madre burundesa. Éstos tenían una tienda de alquiler de vídeos, básicamente comedias americanas y películas de amor indias. Por las tardes, cuando llovía a cántaros, nos reuníamos en su casa para pasar el rato delante de la tele. A veces mirábamos a escondidas películas de sexo de los adultos, pero no nos gustaban mucho, salvo a Armand, que miraba las imágenes con los ojos desorbitados mientras se restregaba contra un cojín como un perro contra una pierna.

Armand vivía en la casa grande de ladrillos blancos que estaba al fondo del callejón. Sus padres eran burundeses, así que él era el único negro de la banda. Su padre era un hombre robusto, con unas patillas tan largas que se le juntaban con el bigote, formando un círculo alrededor de sus ojos y su nariz. Era diplomático de Burundi en los países árabes y conocía personalmente a muchos jefes de Estado. Armand había colgado una foto encima de su cama en la que se lo veía de bebé, vestido con pelele, en el regazo del coronel Gadafi. A causa de los numerosos viajes de su padre, Armand vivía la mayor parte del tiempo con su madre y sus hermanas mayores, unas santurronas amargadas a las que nunca vi sonreír. Su familia era muy cerrada y estricta, pero, pese a todo, él decidió dedicarse a bailar y a hacer el payaso en la vida. Temía a su padre, que parecía que sólo regresara de sus viajes para reafirmar su autoridad sobre sus hijos. Nada de caricias ni de palabras cariñosas. ¡Nunca! Un sopapo en la cara y corriendo a tomar el avión para Trípoli o Cartago. Resultado: Armand tenía dos personalidades: la de su casa y la de la calle. Cara y cruz.

Y luego estaba Gino. El mayor del grupo. Me llevaba un año y nueves meses. Había repetido a propósito para estar en la misma clase que nosotros. Al menos así fue como justificó su suspenso. Vivía con su padre, tras el portón rojo que quedaba en medio del callejón, en una vieja casa colonial. Su padre era belga, profesor de Ciencias Políticas en la Universidad de Buyumbura. Su madre era ruandesa, como mamá, pero yo nunca la había visto. A veces él contaba que trabajaba en Kigali y otras veces que estaba en Europa.

Los cinco nos pasábamos el tiempo discutiendo, no se puede negar, pero nos queríamos como hermanos. Por las tardes, después de almorzar, los cinco nos largábamos a nuestro cuartel general, los restos de una Volkswagen Combi que estaba abandonada en medio de un terreno baldío. En la furgoneta charlábamos, bromeábamos, fumábamos Supermatch a escondidas, escuchábamos las increíbles historias de Gino, los chistes de los gemelos y Armand nos enseñaba las cosas inverosímiles que era capaz de hacer, como mostrar el interior de sus párpados dándoles la vuelta, tocarse la nariz con la lengua, torcerse hacia atrás el pulgar hasta rozar el brazo, abrir botellas con los dientes o masticar guindilla y tragársela sin parpadear. En la Volkswagen Combi decidíamos nuestros proyectos, nuestras escapadas, nuestras grandes correrías.

71

Soñábamos a todas horas, imaginábamos, con el corazón impaciente, las alegrías y las aventuras que nos reservaba la vida. En resumen, en nuestro escondite del terreno baldío del callejón estábamos tranquilos y éramos felices.

Aquella tarde vagabundeábamos por el barrio recogiendo mangos. Habíamos renunciado a la técnica de tirarles piedras para hacer que cayeran de los árboles el día en que Armand lanzó un pedrusco demasiado lejos y dañó la carrocería del Mercedes de su padre. Su viejo le infligió un correctivo memorable. Sus gritos resonaron desde el fondo del callejón hasta la carretera de Rumonge, e hicieron eco junto con el silbido del cinturón. Después de aquel episodio, nos fabricamos unas pértigas largas rematadas con ganchos de alambre sujetos con viejas cámaras de aire de neumáticos. Las varas medían más de seis metros y nos permitían alcanzar incluso los mangos más inaccesibles.

Mientras caminábamos junto a la carretera asfaltada, algunos automovilistas se metían con nosotros a causa de nuestras pintas. Descalzos y con el torso desnudo, las pértigas rastrillando el suelo y las camisetas a modo de hatillo para llevar los mangos recogidos, teníamos aspecto de granujas.

Una señora elegante, probablemente amiga de los padres de Armand, pasó por delante de nosotros. Al reconocer a Armand, que iba sin camiseta y con los pies llenos de polvo, levantó los ojos al cielo e hizo la señal de la cruz:

—¡Por Dios! Vístete, hijo mío. Pareces un ladronzuelo de la calle.

Los adultos a veces eran muy raros.

De regreso en el callejón, nos llamaron la atención los grandes mangos que colgaban en el jardín de los Von Gotzen. Con las pértigas conseguimos alcanzar algunos desde la carretera, aunque los más apetecibles nos quedaban demasiado lejos. Habríamos tenido que escalar el muro, pero nos daba miedo tropezarnos con el señor Von Gotzen, un viejo alemán un poco loco, coleccionista de ballestas, que había estado en prisión una vez por orinarse en la comida de su jardinero, porque éste había osado pedirle un aumento de sueldo, y una segunda vez por encerrar a su *boy* en el congelador como castigo por haber carbonizado un plato de bananas flambeadas. Su mujer, más discreta y todavía más racista, jugaba todos los días al golf en el campo del hotel Méridien y era presidenta del círculo ecuestre de Buyumbura, donde pasaba la mayor parte del tiempo ocupándose de su caballo, un magnífico purasangre de pelaje negro y brillante. Su casa era la más bonita del callejón, la única que tenía dos pisos y piscina; aun así preferíamos evitarla.

Enfrente, detrás de la casa de los gemelos, vivía la señora Economopoulos, una anciana griega que no tenía hijos, pero sí una decena de perros salchicha. Entramos en su terreno pasando por debajo del cercado, gracias a un agujero que los perros del barrio habían abierto para hacer visitas nocturnas cuando las perras salchicha estaban en celo. En el jardín umbrío no sólo había un inmenso mango, sino también parras repletas de uvas, probablemente las únicas del país, además de muchísimas flores.

Armand y yo estábamos birlando racimos mientras Gino y los gemelos arrancaban mangos carnosos, cuando de repente el criado de la griega salió furioso, blandiendo una escoba por encima de la cabeza. Abrió el recinto de los perros, que se lanzaron en nuestra persecución. Huimos lo más rápido que pudimos, colándonos de nuevo por debajo del cercado. Con las prisas, Armand se desgarró el pantalón corto cuando se le enganchó en el alambre. Verlo con parte del culo al aire nos hizo reír a todos por lo menos un cuarto de hora. Después de eso, nos apostamos delante del portón de la señora Economopoulos. Sabíamos que ella regresaba del centro de la ciudad todos los días a la misma hora y que se alegraría de vernos.

Cuando llegó en su pequeño Lada rojo, nos abalanzamos hacia su portezuela para venderle los mangos. O mejor dicho, sus mangos... Nos compró una decena en el tiempo que su criado tardó en abrir el portón. Salimos pitando con un billete de mil francos en el bolsillo y él nos lanzó la escoba, insultándonos en kirundi, pero ya estábamos lejos.

Regresamos a la Volkswagen Combi con el resto de la cosecha, para atiborrarnos de mangos. Menudo festín. El jugo nos corría por la barbilla, las mejillas, los brazos, la ropa y los pies. Chupeteamos los huesos escurridizos, los apuramos y los raspamos. El interior de la piel quedó liso, mondo y lirondo. Teníamos restos de su carne fibrosa entre los dientes.

Una vez saciados, embriagados de tanto jugo y pulpa, jadeantes y con la barriga hinchada, los cinco nos hundimos en los viejos asientos polvorientos de la Volkswagen Combi, con la cabeza echada hacia atrás. Teníamos las manos pegajosas, las uñas negras, la risa fácil y el corazón alegre. Era el descanso de los recolectores de mangos.

—¿Os apetece ir a jugar al río Muha? —propuso Armand.

—¡No, yo prefiero ir de pesca al Círculo Náutico! —contestó Gino.

—¿Por qué no un partido de fútbol en el campo de la Escuela Internacional? —replicaron los gemelos.

—¿Y por qué no vamos a casa del chico suizo a jugar al Atari? —dije yo.

—¡Olvídalo, es un idiota! ¡Te hace pagar un dineral por una partida de Pac-Man!

Terminamos por bajar a pie hasta el Círculo Náutico, siguiendo el curso del río Muha. Una verdadera expedición. En un momento dado, nos dimos de bruces con una cascada que a punto estuvo de arrastrar a los gemelos. La corriente era muy fuerte durante la estación de lluvias. Una vez delante del Círculo Náutico, nos construimos nuestras propias cañas de pescar con varas de bambú y compramos gusanos y harina como cebo para los peces. El vendedor era un omaní del barrio asiático que siempre andaba por la playa. La gente lo llamaba Ninja, porque se pasaba el rato lanzando golpes de kárate al vacío y gritando como si se batiera contra miles de enemigos invisibles. Los adultos lo veían practicar sus *kata* y decían que estaba loco, mientras que a los niños nos caía bien, porque lo que él hacía nos parecía mucho más normal que muchas de las cosas que hacían los adultos, como organizar desfiles militares, rociarse con desodorante vaporizado las axilas, llevar corbata cuando hace calor, beber cerveza toda la noche sentados en la oscuridad o escuchar esas canciones interminables de rumba zaireña.

Nos instalamos en la orilla, frente al restaurante del Círculo, a unos metros de un grupo de hipopótamos en pleno arrebato amoroso. El viento soplaba con fuerza, las olas se arremolinaban sobre la superficie del lago y la espuma de alrededor de las rocas parecía jabón. Gino se puso a orinar en el agua. Propuso un juego, a ver quién llegaba más lejos con el pis, pero nadie tenía ganas de participar. Los gemelos apenas se habían recuperado de su circuncisión, Armand era del género púdico en lo que concernía a aquella parte del cuerpo, y yo, al ver que los demás no lo secundaban, me desinflé.

—¡Panda de gallinas cluecas, banco de peces vírgenes, pedazos de carne de cabra podrida!

—Que te jodan, Gino, a ti que has meado hasta Zaire, Mobutu te va a enviar la BSP para que te corte las pelotas.

—Las que yo voy a cortar son las de Francis, si vuelvo a verlo rondando por nuestra zona —contestó Gino, mientras seguía aliviándose lo más lejos posible.

—¡Ya estamos! Hacía mucho que no hablabas de él. Vamos a terminar pensando que te hace tilín.

—¡Kinanira es nuestro hogar! ¡Voy a darle lo suyo a ese hijo del prepucio! —gritó él abriendo mucho los brazos, de cara al viento.

—Deja ya de fanfarronear, no vas a hacerle nada. ¡Eres más bocazas que un cocodrilo!

Francis era mayor, tendría unos trece o catorce años. Era el peor enemigo de Gino y de nuestra banda. Salvo que era mucho más fuerte que nosotros cinco juntos. Sin embargo no era corpulento, todo lo contrario, era un alambre. Flaco como madera seca. Pero parecía invencible. Sus brazos y piernas eran como lianas tachonadas de cicatrices y quemaduras. En algunos puntos, se diría que tenía placas de hierro bajo la piel que lo hacían insensible al dolor. Un día nos agarró a Armand y a mí y nos amenazó para que le diéramos los chicles Jojo que acabábamos de comprar en el kiosco. Para que me soltara, le asesté una patada impresionante en la tibia y él ni siquiera se inmutó. Eso me dejó pasmado.

Francis vivía con un viejo tío suyo, frente al puente Muha, a sólo calle y media del callejón, en una casa lúgubre recubierta de liquen. El río corría al fondo de su jardín, marrón y viscoso como una pitón de Seba. Nos escondíamos cuando pasábamos por delante de su casa. Él nos detestaba, decía que éramos niños ricos, con nuestros papás y mamás y nuestras meriendas a las cuatro de la tarde. Eso ponía furioso a Gino, que soñaba con ser reconocido como el mayor pillo de Buyumbura. Francis decía que él era un antiguo *mayibobo*, un niño de la calle, y que conocía personalmente a las bandas de Ngagara y Bwiza, es decir, a los «Sin Fracaso» y a los «Sin Derrota», de los que hacía algún tiempo que se venía hablando en el periódico, porque extorsionaban a ciudadanos honestos.

No me atrevía a decírselo a los otros, pero a mí Francis me daba miedo. No me gustaba mucho cuando Gino insistía en defender el callejón a base de peleas y broncas, porque veía que los demás estaban cada vez más motivados por lo que decía. También yo lo estaba, un poco, pero me gustaba más cuando construíamos barcos con troncos de banano para descender por el Muha, o cuando observábamos con los prismáticos a los pájaros en los maizales detrás de la Escuela Internacional, o también cuando levantábamos cabañas en los ficus del barrio y vivíamos un montón de peripecias de indios y vaqueros. Conocíamos todos los rincones del callejón y queríamos quedarnos allí la vida entera los cinco, juntos.

Lo he intentado, pero no me acuerdo de en qué momento empezamos a pensar de manera diferente. A considerar que, en adelante, habría un nosotros de un lado y, del otro, enemigos como Francis. He dado vueltas a mis recuerdos en todos los sentidos y no logro acordarme claramente del instante en que decidimos no seguir compartiendo lo poco que teníamos, dejamos de confiar y empezamos a ver al otro como un peligro y a crear aquella frontera invisible frente al mundo exterior, haciendo de nuestro cuartel una fortaleza, y de nuestro callejón, un lugar cerrado.

Todavía me pregunto cuándo mis amigos y yo comenzamos a tener miedo.

11

No hay nada más dulce que ese momento en que el sol se pone tras la cima de las montañas. El crepúsculo trae el frescor de la noche y una luz cálida que va cambiando cada minuto. A esa hora el ritmo cambia. La gente regresa tranquilamente del trabajo, los vigilantes nocturnos comienzan su turno, los vecinos se acomodan delante de sus portales. Se hace el silencio antes de la llegada de los sapos y los grillos. Suele ser el momento ideal para un partido de fútbol, para sentarse con un amigo en el bordillo, por encima del reguero de la calle, para escuchar la radio con la oreja pegada al aparato o para visitar a un vecino.

La aburrida tarde se marchaba al fin con pasitos huidizos y en ese intervalo, en esos momentos agotados, era cuando me reunía con Gino delante de su garaje, bajo el oloroso franchipán, y nos tumbábamos los dos sobre la estera del *zamu*, el vigilante nocturno. Escuchábamos las noticias del frente en un pequeño y crepitante aparato de radio. Gino movía la antena para atenuar la estática. Me traducía cada frase y ponía el alma en ello.

La guerra en Ruanda había comenzado hacía unos días. Pacifique había terminado por coger el petate y dejar atrás la guitarra. El FPR estaba de nuevo en marcha para traernos la libertad, proclamaba Gino. Echaba pestes por tener que estar sentado allí sin hacer nada, decía que éramos unos apoltronados, que deberíamos marcharnos a combatir. Se rumoreaba que había mestizos como nosotros que habían partido. Gino afirmaba incluso que algunos eran *kadogos*, niños soldado de doce o trece años.

Mi amigo Gino, que les tenía miedo a las arañas migalas que recogíamos en su jardín y que se tiraba al suelo en cuanto estallaba una tormenta a lo lejos, ese mismo Gino quería dirigir una guerrilla con un Kaláshnikov más grande que él, en medio de la niebla de las montañas Virunga. Con una ramita se tatuó FPR en el brazo, rascándose la piel hasta hacerse sangre. Le cicatrizó mal y le dejó tres letras hinchadas. Era medio ruandés, como yo, pero yo lo envidiaba en secreto porque él hablaba kinyaruanda y sabía exactamente quién era. Papá se enfurecía al ver a un chaval de doce años intervenir en las conversaciones de los adultos. Pero la política no tenía secretos para Gino. Su padre era profesor de universidad y siempre le preguntaba su opinión sobre la actualidad, le aconsejaba leer tal artículo de *Jeune Afrique* o tal otro de *Le Soir*. Así que Gino comprendía todo lo que decían las personas mayores. Ése era su hándicap.

Gino era el único niño que yo conocía que tomaba café solo sin azúcar en el desayuno y escuchaba las noticias de Radio France internacional con el mismo entusiasmo con el que yo seguía un partido del Vital'O Club. Cuando estábamos los dos juntos, me insistía para que adquiriera lo que él llamaba una «identidad». Según Gino, había una manera de ser, de sentir y de pensar que yo debía adquirir. Decía las mismas cosas que mamá y Pacifique y repetía que en Burundi no éramos más que refugiados y que teníamos que regresar a nuestro hogar, a Ruanda.

¿Nuestro hogar? El mío estaba en Burundi. Cierto, yo era hijo de una ruandesa, pero mi realidad era Burundi, la escuela francesa, Kinanira, el callejón. El resto no existía. Sin embargo, tras la muerte de Alphonse y la partida de Pacifique, empecé a pensar que aquellos acontecimientos también me concernían. Pero tenía miedo. Miedo a la reacción de papá si me oía hablar de aquellas cosas. Miedo porque no quería poner patas arriba mi vida. Miedo porque se trataba de la guerra y ésta, en mi mente, no significaba más que desgracias y tristeza.

Aquel atardecer escuchábamos la radio y la noche nos cayó encima de improviso. Entramos en casa de Gino. Las paredes del salón eran una auténtica galería de retratos de animales. Su padre era un apasionado de la fotografía. Los fines de semana partía, sombrero-camiseta-bermudas-sandalias-calcetines, hacia el parque nacional de Ruvubu de safari fotográfico. Después revelaba los negativos encerrado en el cuarto de baño. La casa apestaba a consulta de dentista; las emanaciones de los productos químicos que utilizaba en su laboratorio fotográfico se mezclaban con el agua de colonia con la que el hombre se rociaba en abundancia. Su padre era un espectro. Nunca se lo veía, pero uno adivinaba su presencia gracias a aquel olor a letrinas con lejía que tenía pegado a la piel y por el ruido de la máquina de escribir en la que llevaba una vida aporreando sus clases y sus libros políticos. Al padre de Gino le gustaban el orden y la limpieza. Cuando hacía algo, como correr las cortinas o regar las plantas, decía: «Ya está, ¡hecho!» Y se pasaba el santo día anotando mentalmente las tareas que realizaba mientras murmuraba: «¡Una cosa más!» Se peinaba los pelos del antebrazo en una dirección exacta. Tenía una calva de monje, que disimulaba peinándose el cabello de los lados por encima de la tonsura. Los días que llevaba corbata, se peinaba los del lado derecho; los días de pajarita, los del izquierdo. Y se recortaba minuciosamente la largura de aquella cubierta capilar de modo que le quedara una rayita bien marcada, como una trinchera sin camuflaje. En el barrio lo llamaban Kodak, no por su pasión por la fotografía, sino porque una película de caspa cubría su cabello graso.

Cuando estaba en su casa, Gino no era divertido, no le apetecía tanto bromear, escupir, eructar o sujetarme la cabeza entre las piernas para tirarse pedos. Me seguía como un caniche cariñoso para asegurarse de que tirase bien de la cadena, que no dejase gotitas en la taza del váter, que no tocara los jarrones y las figuras del salón. Allí dentro repetía el comportamiento maniático de su padre y eso convertía la casa en fría e inhóspita.

Aquella noche era tropical, pero daba la impresión de que un viento polar recorría las habitaciones, e incluso Gino se dio cuenta de ello. Al cabo de unos minutos nos miramos y noté que ni él ni yo nos sentíamos a gusto en aquella casucha. Sin decir nada, abandonamos la luz macilenta de los neones, dejamos a los gecos zampándose a las polillas y nos alejamos del golpeteo exasperante de la Olivetti de su padre, para regresar a la noche reconfortante.

El callejón era un paseo sin salida de doscientos metros de largo, con pavimento de tierra y piedras y una hilera de aguacates y pinos de oro en el centro que creaba de forma natural un camino de dos vías. Las brechas en los cercados de buganvillas permitían distinguir elegantes casas en medio de jardines de árboles frutales y palmeras. Las plantas de hierbaluisa que bordeaban las zanjas exhalaban una dulce fragancia que alejaba a los mosquitos.

Cuando nos paseábamos juntos por el callejón, nos gustaba ir de la mano como amigos y contarnos nuestras cosas. De la banda, Gino era el único al que a veces le hacía confidencias, a pesar de mi timidez. Con la separación de mis padres se me planteaban algunas preguntas nuevas.

—¿No echas de menos a tu madre?

—Voy a verla muy pronto. Está en Kigali.

—¿La última vez no me dijiste que estaba en Europa?

—Sí, pero volvió.

—¿Tus padres están separados?

—No, no exactamente. Es sólo que no viven juntos.

—¿Ya no se quieren?

—Claro que sí. ¿Por qué me preguntas eso?

—Porque no viven juntos. ¿No es eso lo que pasa cuando los padres ya no se quieren?

—Eso es así en tu caso, Gaby, no en el mío...

Lentamente, nos íbamos acercando a la luz mortecina del farolillo que colgaba de la verja del kiosco. Delante del contenedor convertido en tienda de ultramarinos, saqué lo que me quedaba de los mil francos que la señora Economopoulos nos había dado. Nos compramos un paquete de galletas Tip Top y chicles Jojo. Como nos sobraba bastante dinero, Gino me propuso invitarme a una cerveza en el bar, que estaba en un hueco del callejón, debajo de un raquítico flamboyán.

El bar era la mayor institución de Burundi. El ágora del pueblo. La radio de la calle. El pulso de la nación. Cada barrio, cada calle, contaba con aquellas pequeñas cabañas sin luces en las que, al amparo de la oscuridad, uno iba a tomarse una cerveza tibia, sentado inconfortablemente en una caja o en un taburete, a pocos centímetros del suelo. El bar ofrecía a los bebedores el lujo de estar allí sin ser reconocidos, de participar en las conversaciones, o no, sin llamar la atención. En aquel pequeño país donde todo el mundo se conocía, sólo el bar permitía hablar con libertad y poder estar en paz con uno mismo. Allí había la misma libertad que en una cabina electoral. Y para un pueblo que nunca había votado, poder hablar tenía su importancia. Ya fueras un gran *bwana* o un simple *boy*, en el bar los corazones, las cabezas, los vientres y los sexos se expresaban sin jerarquías.

Gino pidió dos Primus. A él le gustaba ir allí para oír hablar de política. ¿Cuántos estábamos sentados en aquel lugar, debajo del techo ondulado de chapa de la pequeña choza? Nadie lo sabía y poco importaba. La oscuridad nos envolvía en tinieblas de las que sólo emergían, aquí o allá, al azar, palabras que se extinguían de inmediato, como una estrella fugaz. Entre cada intervención, la pausa duraba una eternidad. Y luego una nueva voz surgía de la nada, afloraba y corría a extinguirse sobre un fondo de silencio.

—Os digo que la democracia es algo bueno. El pueblo va a decidir por fin su suerte. Hay que alegrarse por estas elecciones presidenciales. Nos traerán paz y progreso.

—Permítame que discrepe, querido compatriota. La democracia es un invento de los blancos que tiene como único objetivo dividirnos. Cometimos un error al abandonar el partido único. Han hecho falta muchos siglos y conflictos para que los blancos lleguen donde están. Y nos piden que nosotros recorramos el mismo camino en el espacio de unos meses. Me temo que nuestros dirigentes están jugando a ser aprendices de brujos con un concepto que no comprenden ni dominan en absoluto.

—Quien no sabe trepar a un árbol se queda en tierra.

—Todavía tengo sed...

—Culturalmente, seguimos en el culto al rey. ¡Un jefe, un partido, una nación! Ésa es la unidad de la que habla nuestra divisa.

—Un perro nunca podrá convertirse en una vaca.

—No consigo saciar esta maldita sed...

—Pero ésa es una unidad de fachada. Lo que debemos desarrollar es el culto al pueblo, el único y auténtico garante de una paz duradera.

—¡Sin un trabajo previo por parte de la justicia, me temo que la paz, que es el marco necesario para la democracia, resulte completamente imposible! Miles de nuestros hermanos fueron masacrados en 1972 y no ha habido ni un solo juicio. Si no se hace nada, los hijos acabarán por vengar a sus padres.

—¡Pamplinas! No removamos el pasado; el porvenir es un camino hacia delante. ¡Abajo el etnicismo, el tribalismo, el regionalismo, los antagonismos!

—¡Y el alcoholismo!

—Tengo sed, tengo sed, tengo sed, tengo sed, tengo sed, tengo sed...

—Hermanos, que Dios nos acompañe en nuestro camino, como acompañó a su hijo hasta el Gólgota...

—Ya está, ya lo sé. Es por culpa de ella, por eso tengo sed: necesito otra cerveza.

—Los blancos han conseguido cumplir su plan maquiavélico. Nos han endilgado a su Dios, su lengua, su democracia. Ahora acudimos a ellos para que nos curen y enviamos a nuestros hijos a sus escuelas. Los negros están todos locos y jodidos...

—Esa zorra me lo habrá quitado todo, pero no me va a quitar mi sed.

—Vivimos en el lugar de la tragedia. África tiene la forma de un revólver. No se puede hacer nada contra esa evidencia. Disparemos. A diestra o a siniestra, pero ¡disparemos!

—El porvenir viene del pasado como el huevo de la gallina.

—¡Cerveza! ¡Cerveza! ¡Cerveza! ¡Cerveza! ¡Cerveza! ¡Cerveza! ¡Cerveza! ¡Cerveza!

Nos quedamos allí un rato más, pimplándonos en silencio nuestras Primus tibias, y luego le susurré adiós a Gino al oído. Con tanto alcohol en sangre, no estaba seguro de que aquella sombra que estaba a mi lado fuera realmente él. Tenía que irme. Papá iba a preocuparse. Recorrí el callejón en la oscuridad hasta llegar a casa. Me tambaleaba un poco. Un ululato me llegaba desde las ramas. El cielo estaba vacío por encima de mi cabeza y en la negrura me seguían persiguiendo las palabras nocturnas. Los borrachos discutían y se escuchaban en el bar, abrían sus cervezas y sus pensamientos. Eran almas intercambiables, voces sin boca, latidos desordenados del corazón. A aquellas horas pálidas de la noche, los hombres desaparecían y sólo quedaba el país, que se hablaba a sí mismo.

12

Frodebu. Uprona. Ésos eran los nombres de las dos grandes formaciones políticas que se disputaban las elecciones presidenciales del 1 de junio de 1993, después de treinta años de reinado exclusivo de la Uprona. Durante toda la jornada no se oían más que esos dos nombres. En la radio, en la televisión, en boca de los adultos. Como papá no quería que me interesara por la política, yo prestaba atención en otras partes cuando se hablaba de ella.

La campaña electoral adquiría aire de fiesta por todo el país. Los partidarios de la Uprona llevaban camisetas y gorras rojiblancas y, cuando se cruzaban, se hacían una seña levantando los tres dedos del medio. Los seguidores del Frodebu habían escogido el verde y el blanco y su señal de reconocimiento era el puño en alto. Por todas partes, en las plazas públicas, en los parques y los estadios, se cantaba, se bailaba, se reía, se organizaban grandes y estruendosas kermeses. Prothé, el cocinero, se pasaba el día con la palabra «democracia» en la boca. Incluso él, siempre tan serio con su gesto de perro apaleado, había cambiado. A veces lo sorprendía en la cocina, golpeándose las nalgas de enfermo de paludismo y cantando con voz chillona: «*Frodebu Komera! Frodebu Komera!*» («¡Adelante, Frodebu!»). ¡Qué placer ver el júbilo que la política procuraba! Era una alegría comparable a la de los partidos de fútbol del domingo por la mañana. Yo comprendía cada vez menos por qué papá se negaba a que los niños hablaran de toda aquella felicidad, de aquel soplo de renovación que despeinaba a la gente y le llenaba el corazón de esperanza.

La víspera de las elecciones presidenciales, yo estaba sentado en los escalones de entrada de la cocina, en el patio trasero de la casa, entretenido en aplastarle las garrapatas al perro y en quitarle los gusanos de mosca tumbu. Prothé lavaba la ropa, acuclillado delante del fregadero desconchado, mientras tarareaba un canto religioso. Después de llenar de agua un gran barreño y verter en él el contenido de una caja de detergente OMO, hundió la pila de ropa en el líquido azul. Donatien, sentado en una silla enfrente de nosotros, se lustraba los zapatos. Llevaba un abacost color antracita y tenía clavada en el pelo una peineta de plástico.

Innocent estaba dándose una ducha un poco más lejos, al fondo del jardín. Su cabeza y sus pies sobresalían de la chapa herrumbrosa que hacía de puerta en el rincón de la ducha. Para irritar a Prothé, había inventado una canción con la que burlarse del Frodebu y la cantaba a voces. «El Frodebu por el suelo, la Uprona vencerá.» Al tiempo que echaba miradas prudentes hacia Innocent, para asegurarse de que no lo oyera, Prothé masculló:

—Puede seguir con sus chiquilladas todo lo que quiera, esta vez no van a ganar. Te lo digo, Donatien: treinta años de poder los han cegado, y eso hará que su derrota sea más dura.

—No seas presuntuoso, amigo, que es pecado. Innocent es joven y arrogante, pero tú debes dar ejemplo de sensatez. No te dejes distraer por sus provocaciones pueriles.

—Tienes razón, Donatien. Pero de todos modos estoy ansioso por verle la cara cuando se entere de nuestra victoria.

Innocent salió de la ducha con el torso desnudo y avanzó hacia nosotros con paso de felino. Bajo el sol, las gotas de agua brillaban en sus cabellos rizados y parecía que llevara una tonsura blanca. Se detuvo delante de Prothé, que bajó la cabeza y se puso a frotar la ropa todavía más enérgicamente. Innocent se metió la mano en el bolsillo del pantalón, sacó uno de sus dichosos mondadientes y se lo metió en la cavidad bucal. Para impresionarnos, contrajo los músculos y adoptó una pose despectiva mientras contemplaba la nuca de Prothé.

—¡Eh, tú, *boy*!

Prothé paró de frotar de inmediato. Se alzó en toda su estatura y miró a Innocent directamente a los ojos con frialdad y desafiante. Donatien dejó de lustrar sus zapatos. Yo solté la pata del perro. Innocent estaba sorprendido de ver al débil Prothé hacerle frente. Desconcertado ante semejante aplomo, terminó por esbozar una sonrisilla burlona, ligeramente irritada, escupió su mondadientes al suelo y se alejó haciendo la señal de la Uprona por encima de la cabeza, con los tres dedos del medio levantados. Prothé lo observó mientras se alejaba. Cuando Innocent desapareció detrás del portón, regresó a su sitio delante del barreño de agua y se puso de nuevo a canturrear: «*Frodebu Komera...*»

13

Era una mañana como cualquier otra. El gallo que canta. El perro que se rasca detrás de la oreja. El aroma del café que flota en la casa. El loro que imita la voz de papá. El sonido de la escoba que araña el suelo en el patio vecino. La radio que resuena en el vecindario. El lagarto de vivos colores que toma su baño de sol. La fila de hormigas que se llevan los granos de azúcar que Ana ha dejado caer de la mesa. Una mañana como cualquier otra.

Sin embargo, aquélla era una jornada histórica. En todo el país la gente se disponía a votar por primera vez en su vida. Con las primeras luces del día habían empezado a dirigirse a los colegios electorales más cercanos. Un cortejo interminable de mujeres con pareos de colores y hombres endomingados muy concienzudamente caminaba a lo largo de la carretera principal o descendía de los minibuses, llenos a reventar de electores eufóricos. En el campo de fútbol, al lado de la casa, la gente llegaba de todas partes. Sobre el césped habían instalado las mesas electorales y las cabinas de voto. Yo miraba a través de la cerca aquella larga fila de electores que esperaban bajo el sol. La gente aguardaba tranquila y disciplinadamente. Entre la muchedumbre, algunos no lograban contener su alegría. Una anciana vestida con un pareo rojo y una camiseta de Juan Pablo II salió de la cabina de voto bailando. Cantaba: «¡Democracia! ¡Democracia!» Un grupo de jóvenes se acercó a ella para llevarla en volandas mientras lanzaban hurras al cielo. En las cuatro esquinas del campo de fútbol se notaba también la presencia de blancos y asiáticos con chalecos de múltiples bolsillos, en cuya espalda estaba escrito: «Observadores internacionales.» Los burundeses tenían conciencia de la importancia del momento, de la nueva era que se abría. Aquellas elecciones acababan con el partido único y los golpes de Estado. Cada cual era al fin libre de escoger a su representante. Al término de la jornada, cuando los últimos electores partieron, el campo de fútbol parecía un vasto campo de batalla. La hierba estaba pisoteada. Los papeles tapizaban el suelo. Ana y yo nos colamos por la cerca. Nos arrastramos hasta las cabinas electorales. Recogimos las papeletas de voto olvidadas. Las había del Frodebu, de la Uprona y del PRP. Yo quería tener un recuerdo de aquel día memorable.

El día siguiente fue extraño. Nada se movía. La ciudad estaba ansiosa, a la espera de los resultados. En casa, el teléfono sonaba sin cesar. Papá no quiso que me fuera al callejón con mis amigos. Nuestro jardín estaba vacío, el guardián había desaparecido. Por la calle circulaban muy pocos coches. Un contraste impresionante con el jolgorio de la víspera.

Durante la siesta de papá, me escapé por la puerta de atrás. Quería hablar con Armand. Él debía de tener información por medio de su padre. Toqué al portón y le pedí al empleado doméstico que lo avisara. Cuando Armand llegó, me dijo que su padre daba vueltas por la casa, fumando puritos y echándole más azúcar de lo habitual a su té. También allí el teléfono sonaba sin cesar. Me aconsejó que volviera a casa, que no anduviera por la calle, no se sabía qué podía pasar. Circulaban rumores inquietantes.

Poco antes de que cayera la noche, estábamos los tres sentados en el salón, papá, Ana y yo, cuando alguien llamó a mi padre para decirle que encendiera la radio. Estaba oscuro, Ana se mordía las uñas y papá buscaba la emisora. Por fin dio con la frecuencia en el momento en que el locutor de la Radio Televisión Nacional anunciaba la inminente proclamación de los resultados. Se oyó deslizarse una vieja cinta, luego una fanfarria acompañó a un coro que cantaba a voz en grito: «*Burundi Bwacu, Burundi Buhire...*» Después del himno nacional, el ministro del Interior tomó la palabra. Anunció la victoria del Frodebu. Papá permaneció impasible. Simplemente se encendió un cigarrillo.

En el barrio no se oía ningún grito, ningún claxon, ningún petardo. Me pareció percibir un clamor a lo lejos, allí arriba, en las colinas. ¿Eran imaginaciones mías? Con su obsesión por mantenernos fuera de la política, papá fue a encerrarse en su habitación para hacer una llamada telefónica. A través de la puerta, oía frases que no comprendía.

«Ésta no es una victoria democrática, es un reflejo étnico... Tú sabes mejor que yo cómo son las cosas en África, la Constitución no es lo que cuenta... El ejército apoya a la Uprona... En estos países uno no gana las elecciones si no es el candidato del ejército... No comparto tu optimismo... Tarde o temprano les van a hacer pagar esta afrenta...»

Cenamos bastante pronto. Yo había preparado una tortilla de cebolla, Ana sirvió rodajas de piña y yogures de fresa de las hermanas clarisas. Antes de acostarnos, vimos el telediario en la habitación de papá. La imagen temblaba. Había nieve en la pantalla. Moví la antena de encima del aparato. El presidente, el mayor Pierre Buyoya, sentado delante de la bandera de Burundi, dijo con voz segura:

«Acepto solemnemente el veredicto popular e invito a la población a que haga lo mismo.»

De inmediato pensé en Innocent. A continuación, Melchior Ndadaye, el nuevo presidente, apareció en la pantalla. Se lo veía tranquilo.

«Ésta es la victoria de todos los burundeses.»

Y entonces pensé en Prothé. Al final del telediario, el jefe del Estado Mayor tomó a su vez la palabra:

«El ejército respeta la democracia basada en el multipartidismo.»

Y entonces pensé en las palabras de papá.

Estaba a punto de cepillarme los dientes, cuando oí gritar a Ana. Me precipité a nuestra habitación. Estaba de pie sobre mi cama, agarrada a la cortina. Sobre las baldosas, en medio de la habitación, se arrastraba una escolopendra. Papá la aplastó, gritando: «¡Asqueroso!» En el momento de meterme en la cama, le pregunté si la llegada del nuevo presidente era una buena noticia. Él respondió:

—Ya veremos.

Querida Laure:

El pueblo ha votado. En la radio han dicho que el porcentaje de participación ha sido del 97,3 %. Eso quiere decir que todo el mundo ha votado, menos los niños, los enfermos del hospital, los presos de las prisiones, los locos de los asilos, los delincuentes buscados por la policía, los perezosos que se quedaron en la cama, los mancos incapaces de sujetar una papeleta y los extranjeros como mi padre, mi madre o Donatien, que tienen derecho a vivir y a trabajar aquí, pero no a dar su opinión, porque ésta deben darla allí de donde vinieron. El nuevo presidente se llama Melchior, como el rey mago. Algunos lo adoran, como Prothé, nuestro cocinero. Él dice que ésta es la victoria del pueblo. Otros lo detestan, como Innocent, nuestro chofer, pero te aseguro que en su caso es porque es un gruñón y un mal perdedor.

A mí me parece que el nuevo presidente tiene un aspecto serio, no pone los codos sobre la mesa, no corta la palabra. Lleva una corbata lisa, una camisa bien planchada y usa expresiones de cortesía en sus frases. Va presentable y limpio. ¡Eso es importante! Porque en adelante deberemos colgar su retrato por todo el país para no olvidarnos de que existe. Sería desagradable tener un presidente desaliñado o bizco en las fotos de todos los ministerios, aeropuertos, embajadas, compañías de se-

guros, comisarías, hoteles, hospitales, bares, ma-
ternidades, cuarteles, restaurantes, peluquerías y
orfanatos.

Por otra parte, me pregunto: ¿dónde habrán
metido los retratos del anterior presidente? ¿Los han
tirado? ¿O quizá existe un lugar donde los guar-
dan por si acaso un día decidiera volver?

Ésta es la primera vez que tenemos un pre-
sidente que no es militar. Pienso que tendrá menos
dolores de cabeza que sus predecesores. Los pre-
sidentes militares siempre tienen migraña. Es
como si tuvieran dos cerebros. Nunca saben si de-
ben hacer la paz o la guerra.

Gaby

14

El saurio estaba tendido sobre la hierba, al fondo del jardín. Una decena de hombres había bajado a la bestia de la camioneta con la ayuda de cuerdas y varas de bambú. La noticia se propagó rápidamente por el callejón y congregó a un tropel de curiosos alrededor del cocodrilo muerto. Sus ojos amarillos, todavía abiertos y atravesados verticalmente por unas pupilas negras, daban la desagradable impresión de observar a la concurrencia. En lo alto del cráneo, una herida parecida a un capullo de rosa señalaba dónde había recibido el golpe mortal. Jacques, llegado ex profeso de Zaire, había matado al animal de un solo balazo. Una semana antes, un cocodrilo se había llevado a una turista canadiense que caminaba junto al lago, en la playa del club de vacaciones. Como cada vez que sucedía algo así, las autoridades locales enviaron una expedición de castigo para abatir a un cocodrilo en represalia. Papá y yo formamos parte de esa aventura como simples espectadores privilegiados. Jacques dirigía aquellas operaciones desde hacía años, con un equipo compuesto por varios blancos apasionados de la caza mayor. Embarcamos en el Círculo Náutico con municiones y carabinas de mira telescópica, y la lancha motora siguió la orilla hasta la desembocadura del Rusizi, el lugar donde ese río lodoso se vierte en las aguas turquesa del Tanganica. Lentamente, fuimos remontando el delta mientras los cazadores vigilaban, con el dedo en el gatillo, a los grupos dispersos de hipopótamos, con el temor continuo por la carga de algún macho solitario. El piar de una colonia de aves tejedoras, cuyos nidos pendían con abandono de las ramas de las acacias, tapaba el ruido del motor. Los hombres, con los Winchester al alcance de la mano y los ojos entrecerrados por el sol, observaban los alrededores con prismáticos. Jacques distinguió en el visor de su arma un cocodrilo sobre un banco de arena. Con las fauces totalmente abiertas, disfrutaba de un baño de sol a primera hora de la tarde. Un chorlito egipcio se esmeraba en limpiarle los dientes. Cuando Jacques disparó, un grupo de patos silbadores levantó vuelo por encima de los juncos que bordeaban la orilla. El disparo produjo un sonido seco, como el de la madera cuando se parte. Alcanzada en pleno reposo, la bestia apenas tuvo tiempo de moverse. Su mandíbula se cerró poco a poco. El chorlito dio saltitos durante unos instantes alrededor de su amigo, como rindiéndole un último homenaje, y luego se alejó volando para encargarse del cuidado de las fauces de otro cocodrilo.

Tras la partida de los curiosos, pusimos la bestia boca arriba y Jacques la despedazó metódicamente. Metía los pedazos de carne en bolsas de plástico que Pro-

thé guardaba dentro del gran congelador del garaje.
Mientras, la noche iba cayendo deprisa y nada estaba
todavía preparado. El jardinero ayudó a Donatien a
sacar las mesas y las sillas. Innocent trajo el carbón
para la barbacoa. Gino encendió los faroles colgados
del ficus y papá desenrolló un alargador para instalar
el equipo de música en el jardín. Ana se encargaba
de disponer sobre las mesas las espirales de incienso
antimosquitos. Era una velada especial, ¡celebrábamos
mis once años!

Cuando la música comenzó a escapar a través de
los altavoces, el vecindario volvió a alborotarse. Los
borrachos, atraídos ante la perspectiva de bebida gratis, abandonaron excepcionalmente el bar del callejón.
Muy pronto, el jardín fue invadido por la algarabía
de las conversaciones, mezcladas con el retumbar del
altavoz de bajos. La alegría me desbordaba en medio
de aquellas incesantes idas y venidas, de aquel zafa-
rrancho improvisado bajo la luna en el que el humor
era de fiesta, y las lágrimas, de risa.

Era el comienzo de las vacaciones de verano, y
éstas empezaban bien, ya que había recibido noticias
de Laure:

*¡Cucú, Gaby! Lo estoy pasando superbién en el
mar, con mis primos y mi hermano pequeño. Gracias por tu carta, es divertido lo que escribes. No
te olvides de mí durante las vacaciones. Hasta
pronto. Un beso. Laure.*

En el dorso de la tarjeta había una composi-
ción de fotos en miniatura de la Vendée: un castillo

en Noirmoutier, bloques de edificios en Saint-Jean-de-Monts, una playa de Notre-Dame-de-Monts, una hilera de rocas en el mar frente a Saint-Hilaire-de-Riez. Había leído y releído decenas de veces aquella postal, siempre con la sensación de ser alguien especial para Laure. Ella me pedía que no la olvidara y no pasaba un día en que yo no pensara en ella. En mi próxima carta quería decirle hasta qué punto me importaba, que era la primera vez en mi vida que tenía la impresión de poder expresarle mis sentimientos a alguien, que esperaba seguir escribiéndole toda mi vida e incluso ir un día a verla a Francia.

La otra buena noticia de aquel inicio de vacaciones era que mis padres se hablaban de nuevo, después de meses de guerra fría. Me habían felicitado juntos por mi paso a sexto grado. Me dijeron: «Estamos muy orgullosos de ti.» Un «estamos» de pareja, de reunificación. ¡Podía permitirme tener esperanza!

Pacifique había llamado desde Ruanda para desearme feliz cumpleaños. Explicó que se habían reanudado las conversaciones de paz, que él se encontraba bien, que nos echaba de menos, que le hubiera gustado estar con nosotros en aquella gran fiesta. Hacía poco que se había echado una novia, una chica de la que se había enamorado perdidamente a su llegada a Ruanda. Estaba impaciente por presentársela a la familia. Se llamaba Jeanne, y Pacifique la describía como la mujer más bella de la región de los Grandes Lagos. Al teléfono me hizo una confidencia: cuando terminara la guerra se haría cantante, para escribir sus propias canciones de amor y alabar la belleza de su futura esposa.

101

Las cosas se arreglaban a mi alrededor, la vida poco a poco iba encontrando su lugar, y esa noche yo saboreaba la felicidad de estar rodeado de personas a las que quería y que me querían.

Sentado en nuestra gran terraza, Jacques contaba a una concurrencia fascinada cómo había cazado el cocodrilo. Se daba aires, sacaba pecho, exageraba las erres de su acento valón. Con gestos de actor de cine, se sacaba el Zippo de plata del bolsillo como quien desenfunda un revólver, para encender un cigarrillo que a continuación dejaba que se consumiera descuidadamente en la comisura de los labios. Eso causaba un gran efecto sobre la señora Economopoulos, que parecía subyugada por su carisma y su sentido del humor. Ella le hacía elogios, que él recibía con delectación, y las bromas de Jacques provocaban en la señora Economopoulos estallidos de risa que le daban el aspecto de una adolescente enamorada. Extrañados los dos de no haberse conocido antes, se pasaron horas enteras hablando de los buenos viejos tiempos en que Buyumbura se llamaba todavía Usumbura, del Gran Hotel, de los bailes en el Paguidas y las orquestas de jazz, del cine Kit Kat, de los hermosos coches americanos, los Cadillac y Chevrolet, en las calles de la ciudad, de su pasión común por las orquídeas, del buen vino de la lejana Europa, de la enigmática desaparición del presentador de la televisión francesa Philippe de Dieuleveult y de su equipo de filmación cerca del embalse de Inga, de las erupciones del Nyiragongo, de las espectaculares lenguas de lava, de la suavidad del clima de la región, de la belleza de los lagos y los ríos...

Prothé pasaba entre los invitados, ofreciendo cervezas y filetes de cocodrilo hechos a la parrilla. Innocent rechazó con un gesto de repugnancia el plato que le ofrecía:

—¡Puag! Sólo los blancos y los zaireños comen cocodrilo y ranas. ¡Nunca verán a un burundés digno de ese nombre tocar un animal de la selva! ¡Nosotros sí que somos civilizados!

Donatien, risueño, con la boca llena de grasa de cocodrilo, le respondió:

—Los burundeses simplemente no tienen gusto, y los blancos desperdician. Los franceses, por ejemplo, no saber comer ranas, ¡se contentan tan sólo con las ancas!

Plantado delante del equipo de música, Armand le enseñaba a Ana algunos pasos de soukous, la rumba africana. A la pequeña se le daba bien, se había puesto un pareo alrededor de las caderas y conseguía agitarlas sin mover el resto del cuerpo. Los borrachos aplaudían. En medio de la pista de baile, bajo la luz de un foco asediado por insectos, los padres de los gemelos bailaban lánguidamente, mejilla contra mejilla, como cuando se conocieron, en la época de la mítica orquesta Grand Kallé. Ella era mucho más alta y fuerte que el padre y conducía el baile, mientras que él, con los ojos cerrados, movía la boca como un cachorro que sueña. El sudor les pegaba la camisa a la espalda y dibujaba aureolas bajo sus axilas.

Papá rebosaba alegría y buen humor. Se había puesto una corbata, nada habitual en él, y un toque de colonia, y se había peinado hacia atrás, lo que resaltaba sus ojos verdes de seductor. En cuanto a mamá, estaba radiante con su florido vestido de muselina. El deseo brillaba en los ojos de los hombres cuando pasaba junto a ellos. En varias ocasiones sorprendí también a papá mirándola. Sentado al borde de la pista de baile, hablaba de negocios o de política con el padre de Armand, que acababa de regresar de Arabia Saudí y parecía querer recuperarse de los largos meses de abstinencia alcohólica que acababa de soportar. Al lado de ellos, la madre de Armand, vestida como una beata, daba cabezadas y levantaba las cejas a intervalos regulares. Era imposible saber si aprobaba las palabras de su marido sobre la estabilización del precio del café burundés en la Bolsa de Londres o si estaba rezando el rosario por enésima vez ese día.

Yo estaba tumbado sobre el capó de la camioneta, flanqueado por Gino y los gemelos, cuando vimos llegar a Francis. ¡No podíamos creerlo! En cuanto entró en la parcela, mamá le puso una Fanta en las manos y lo invitó a sentarse en una silla de plástico, debajo del gran ficus. Gino se puso furioso.

—¡Gaby, ¿ves lo que yo veo?! ¡Tienes que echar a ese cabrón! No pinta nada en tu cumpleaños.

—No puedo, tío. Mi padre ha dicho que la fiesta está abierta a toda la gente del barrio.

—¡Para Francis no, joder! ¡Es nuestro peor enemigo!

—Quizá ésta sea la ocasión de hacer las paces con él —dijeron los gemelos.

—Vaya panda de cretinos al cuadrado —respondió Gino—. ¡Con esa babosa no se pacta! ¡Se le parte la jodida jeta, eso es lo único que se merece!

—De momento no le ha hecho daño a nadie —dije yo—. Dejemos que se beba su Fanta sin quitarle ojo. Y no apartamos la vista de él ni un solo instante. Él hacía como que no nos veía. Sin embargo, sus ojos barrían, analizaban, diseccionaban lo que lo rodeaba. Miraba a la gente con ojos torvos mientras movía la pierna izquierda con nerviosismo. Se levantó para coger otra bebida y entablar una breve conversación con mamá, que se volvió hacia mí señalándome con el dedo para indicarle que ella era mi madre. Francis pululaba de grupo en grupo y encontraba la manera de iniciar espontáneamente la charla con unos y con otros, incluso con el padre de Gino.

—¡No me lo puedo creer, está hablando con mi viejo! Pero ¿qué pueden estar contándose? Estoy seguro de que está sonsacando información sobre nosotros, Gaby. ¡Se hace pasar por colega nuestro!

Observábamos desde lejos su jueguecito. Innocent lo invitó a compartir una cerveza. Al cabo de unos minutos, se daban palmadas en la espalda como dos viejos amigos.

Ya era más de medianoche. El alcohol y la noche combinaban sus efectos. Un grupo de chicos franceses voluntarios del servicio social, con el torso desnudo, jugaban a la pídola delante de los borrachos del bar, que se divertían con el espectáculo. Un joven toqueteaba el sujetador de su amiguita mientras ésta charlaba con una amiga de sus clases de moral en la escuela Stella Matutina. Un viejo burundés de barba blanca, apodado Gorbachov debido a una mancha de nacimiento que tenía en la frente, se apoyaba sobre una pierna, recitando poemas de Ronsard delante de la

105

jaula del loro. Un grupo de niños jugaba con la mona domesticada de un señor flamenco un tanto afeminado, un habitante del callejón que se hacía llamar Fifí y que sólo usaba camisas coloridas de algodón y túnicas africanas. Las pilas de cajas vacías se amontonaban sobre los escalones de la cocina. Prothé y Donatien iban y venían para retornar las botellas vacías al kiosco.

El momento resultaba propicio para buscarse un rincón tranquilo donde estar con los amigos, en la parte menos iluminada del jardín, a resguardo de las miradas de los padres. Nos sentamos en la hierba para compartir unos cigarrillos y mirar sin que nos vieran la pista de baile iluminada por los faroles del ficus. Armand trajo dos botellas de Primus que había escondido discretamente entre los tiestos de helechos.

—¡Mierda, he pisado algo! —dijo.

—Sí, ten cuidado, por ahí está el cadáver del cocodrilo —le respondí.

Cuando la música se detuvo entre dos canciones, oímos sonidos de masticación y deglución. Los perros de la señora Economopoulos se estaban zampando los restos del animal muerto. Mientras ellos se daban un atracón en la oscuridad, mis amigos brindaron por mis once años.

—¡Cómo van a presumir esos salchicha cuando les digan a los otros chuchos del callejón que se comieron un cocodrilo! —dijo Gino.

Todos rompimos a reír salvo Armand, que había reparado en que alguien se nos acercaba. Apagué mi cigarrillo y aparté el humo con la mano.

—¿Quién viene? —pregunté.

—Soy yo, Francis.

—No pintas nada aquí —respondió instantáneamente Gino, y se puso en pie de un salto—. ¡Lárgate!

—¡Es una fiesta del barrio y yo vivo en el barrio! No veo dónde está el problema —dijo Francis.

—No, aquí lo que se celebra es el cumpleaños de mi colega, y tú no estás invitado. Así que ya te lo he dicho, ¡lárgate!

—¿Quién habla? No te veo. ¿Eres el hijo de Kodak? ¡El belga de los cabellos grasientos! ¿Cómo te llamas?

—¡Gino! Y vigila la lengua cuando hables de mis padres.

—¿Tus padres? Sólo he hablado de tu padre. Por cierto, ¿dónde está tu madre? He visto a los padres de todo el mundo menos a tu madre...

—Entonces, ¿es eso, has venido a espiarnos? —intervino Armand—. ¿Está usted haciendo su pequeña investigación, teniente Colombo?

—No te queremos aquí —continuó Gino—. ¡Esfúmate!

—¡No! ¡Me quedo!

Gino se lanzó con la cabeza inclinada contra el vientre de Francis. En la oscuridad, ambos tropezaron con el cocodrilo destripado. Los perros empezaron a ladrar y yo corrí a avisar a los adultos mientras Armand escondía los cigarrillos y las cervezas. Jacques y papá llegaron con una linterna. Cuando lograron separar a Francis y Gino, que estaban embadurnados de vísceras de cocodrilo, acusamos a Francis de haber venido en busca de pelea. Papá lo agarró por el pescuezo y lo expulsó de la parcela, y entonces él, humillado, se puso a gritar que se las íbamos a pagar, al tiempo

107

que tiraba piedras contra el portón. Nosotros cinco le hicimos un corte de mangas y nos bajamos los pantalones para enseñarle el culo, entre los vítores del grupo de voluntarios franceses. Todo el mundo se reía hasta el momento en que Jacques se puso a gritar:

—Mierda, ¿dónde está mi Zippo? ¿Dónde está mi Zippo?

Todos pensamos en Francis.

—¡Atrapad a ese desgraciado! —gritó Gino.

Papá envió a Innocent en su busca, pero volvió con las manos vacías.

Pasado el incidente, la fiesta se reanudó aún más animada. Estaba en su apogeo cuando, de pronto, se cortó la electricidad. El centenar de invitados paró de bailar en seco y profirió un «Ooooh» de fastidio. Cubiertos de sudor, reclamaban que volviera la música y golpeaban con manos y pies, gritando mi nombre: «¡Gaby! ¡Gaby!» Todos estaban disfrutando de la gran fiesta y un corte de luz repentino no iba a calmar sus furiosos deseos de divertirse. Alguien lanzó la idea de continuar la celebración con instrumentos de verdad. Entonces, sin pensárselo dos veces, Donatien e Innocent salieron a toda velocidad en busca de tambores en el barrio, los gemelos trajeron la guitarra de su padre y uno de los franceses sacó una trompeta del maletero de su Renault 4. Había empezado a soplar una agradable brisa de lluvia. A lo lejos, por encima de las orillas del lago, se oyó un gruñido sordo; la tormenta se acercaba. Eso inquietó a algunos, sobre todo a los más mayores, que querían anticiparse al chaparrón metiendo sillas y mesas en la casa. Donatien cortó el debate improvisando a la guitarra una melodía de brakka music.

Tímidamente, la gente comenzó a moverse de nuevo bajo el pelaje rayado de aquella noche de relámpagos. Los grillos callaron cuando los borrachos comenzaron a hacer tintinear las botellas de cerveza con tenedores y cucharillas para acompañar la melodía. La trompeta se unió a la guitarra y fue recibida con silbidos y gritos de júbilo. Los invitados bailaban de nuevo con ardor multiplicado. Los perros, asustados, se refugiaron con el rabo entre las patas debajo de las mesas, segundos antes de que el cielo explotara en sonidos, luz, rachas de viento y restallidos. Los tambores entraron en escena y aceleraron el ritmo. Nadie pudo resistirse a la llamada de aquella música desenfrenada que tomaba posesión de nuestros cuerpos como si fuera un espíritu benévolo. Bien que mal, el trompetista, sin aliento, intentaba seguir la cadencia de la percusión. Prothé e Innocent golpeaban al unísono las pieles tensas de los tambores, con el rostro crispado por el esfuerzo y una espesa transpiración goteando de sus frentes relucientes. Los invitados daban palmas siguiendo el ritmo y con los pies marcaban el compás, levantando una densa polvareda en el patio. La música iba tan rápida como las pulsaciones en nuestras sienes. El golpeteo de una y otras se amontonaba. El viento soplaba, movía las copas de los árboles del jardín, se podía percibir la vibración de las hojas y el crujido de las ramas. La electricidad flotaba en la atmósfera. El aire tenía olor a tierra mojada. La lluvia cálida estaba a punto de abatirse sobre nosotros, tan violentamente que todos echaríamos a correr para recoger mesas, sillas y platos, antes de ir a refugiarnos bajo el porche y contemplar cómo la fiesta se diluía en la confusión de la tromba de agua. Eso pondría fin a mi cumpleaños y yo disfrutaba ese minuto antes de la lluvia, ese momento de felicidad suspendida en el que la música aunaba nuestros corazones, llenaba el vacío entre nosotros, celebraba la existencia, ese instante, esa eternidad de mis once años, allí, bajo el ficus catedralicio de mi infancia, y supe entonces, en lo más profundo de mi ser, que la vida acabaría por encauzarse.

15

Las vacaciones de verano son peor que el paro. Holgazaneábamos durante dos meses en el barrio, buscando algo en que ocupar nuestros monótonos días. Aunque a veces nos reíamos, debo confesar que nos aburríamos más que un lagarto muerto. Con la estación seca, el río no era más que un hilillo de agua y era imposible refrescarse en él. Los mangos, desmedrados por el calor, eran invendibles, y el Círculo Náutico estaba demasiado lejos como para ir hasta allí todas las tardes.

Me alegré cuando empezó la escuela. Papá me dejaba cada mañana delante de la entrada de los mayores. Estaba en el mismo curso que mis amigos y una nueva vida comenzaba. Teníamos clases algunas tardes entre semana y descubrí nuevas asignaturas, como Ciencias Naturales, Inglés, Química y Artes Plásticas. Los alumnos que habían pasado sus vacaciones en Europa o en América habían regresado de allí con las costumbres y los zapatos de moda. Al principio no me fijé mucho, pero Gino y Armand no paraban de hablar de ello con los ojos brillantes. Ese deseo se transformó en obsesión y terminé por contagiarme. Ya no se trataba del color y tamaño de las canicas, sino de ropa y de marcas. Salvo que para tener todo eso hacía falta dinero. Mucho dinero. Aunque vendiéramos todos los mangos del barrio, no tendríamos con qué pagarnos calzado con aquella virgulilla encima.

Los que regresaban de allí, de Europa y de América, nos contaban que las tiendas tenían varios kilómetros de largo y que rebosaban de deportivas, camisetas, trajes de baño y pantalones vaqueros. En Buja no había nada, salvo el escaparate desguarnecido de la tienda Bata, que estaba en el centro de la ciudad, o las estanterías del mercado Jabé, que ofrecían algunas Reebok Pump agujereadas y marcas conocidas escritas con faltas de ortografía. Nos sentíamos tristes por vernos privados de cosas de las que habíamos pasado hasta entonces. Y ese sentimiento nos estaba cambiando por dentro. Detestábamos en silencio a quienes las poseían.

Donatien, que había reparado en mi nuevo interés por las marcas, así como en mi propensión a hablar mal de ciertos niños ricos de la escuela, me decía que la envidia era un pecado capital. Sus lecciones de moral me resbalaban y por una vez prefería hablar con Innocent, que sabía cómo encontrar al precio más bajo los accesorios con los que yo soñaba. Ése era el nuevo criterio con el que se formaban los grupos en la escuela: los que poseían esas cosas se relacionaban entre sí.

Armand era una excepción. Él no usaba ropa de moda ni colonias de marca, pero hacía reír. Eso le permitía franquear las fronteras invisibles que nos separaban a unos de otros y ser aceptado en los grupos de moda. A Gino lo amargaba ver a Armand en el patio, cerca de la cantina, hablando con sus nuevos amigos.

Una noche, mientras discutíamos los dos bajo el franchipán, tirados sobre la estera del vigilante y comiendo rodajas de mango verde con sal gruesa, me dijo:

—Armand es un traidor. Casi no nos dirige la palabra en la escuela, pero en cuanto llega al callejón, nos convertimos de nuevo en sus mejores amigos.

—Saca provecho, es normal. Desde principios de curso está invitado a todas las fiestas. ¡Los gemelos me han contado que incluso ha besado a una chica en la boca!

—¡Júralo! ¿Con lengua?

—No lo sé, pero al menos él se divierte, mientras que nosotros nos quedamos en el callejón. Yo, si pudiera seguirlo, no lo dudaría.

—¿También tú te avergüenzas del grupo?

—No es eso, Gino. ¡Vosotros sois los mejores colegas del mundo! Pero en la escuela no nos tienen en cuenta, las chicas pasan de nosotros, así que compréndelo...

—Un día acabarán por vernos, Gaby, y todos nos temerán.

—¿Y por qué quieres que nos teman?

—Para ser respetados. ¿Lo entiendes? Eso es lo que dice siempre mi madre. Hay que hacerse respetar.

Me asombró oír a Gino mencionar a su madre. Nunca hablaba de ella. En su mesita de noche tenía sobres con bordes azul-blanco-rojo, para escribirle cada semana. Pero él nunca iba a Ruanda, que estaba tan sólo a unas horas de carretera, y ella tampoco viajaba hasta Buyumbura. Él decía que la situación política no le permitía hacerlo, pero que un día, cuando volviese la paz, se iría a vivir a una gran casa de Kigali con su padre y su madre. Me entristecía que Gino estuviera dispuesto a abandonarme, a dejar el grupo, a dejar el callejón. Como mamá, la abuela, Pacifique y Rosalie, Gino soñaba con el gran regreso a Ruanda, y yo fingía compartir sus sueños para no desilusionarlos. Sin embargo, secretamente, rezaba para que nada cambiase, para que mamá regresara a casa, para que la vida volviera a ser como era y que siguiera así para siempre.

Estaba pensando todo esto cuando se oyó un estruendo. El padre de Gino salió de la casa corriendo como una oveja asustada, nos gritó que nos alejásemos de las paredes y que fuésemos con él al centro del jardín. Nos levantamos, divertidos, se diría que había visto un fantasma, y lo seguimos sin entender lo que había ocurrido. Hasta unos minutos más tarde, al descubrir la ancha fisura que recorría de extremo a extremo el muro del garaje, no lo comprendimos. La tierra había temblado bajo nuestros pies, imperceptiblemente. Es lo que hace todos los días en ese país, en ese rincón del mundo. Vivíamos sobre el eje de la gran falla, en el mismísimo lugar donde África se fractura.

Las gentes de esa región eran como esa tierra. Bajo la calma aparente, detrás de una fachada de sonrisas y grandes discursos de optimismo, fuerzas subterráneas, oscuras, trabajaban de continuo, fomentando proyectos de violencia y destrucción que se manifestaban en períodos sucesivos, como las ráfagas de viento: 1965, 1972, 1988. Un espectro lúgubre se colaba con regularidad para recordarles a todos que la paz no es más que un corto intervalo entre dos guerras. Esa lava venenosa, esa marea espesa de sangre estaba de nuevo lista para salir a la superficie. Todavía no lo sabíamos, pero la hora de la hoguera había sonado, la noche iba a soltar su horda de hienas y licaones.

16

Dormía con un sueño ligero cuando noté que me tocaban la cabeza. De entrada, pensé que las ratas estaban mordisqueándome los rizos, como sucedía antes de que papá instalara trampas por toda la casa. Luego oí un murmullo:

—Gaby, ¿duermes?

La voz de Ana acabó de despertarme. Abrí los ojos. Nuestra habitación estaba sumida en la oscuridad. Con la mano izquierda tiré de la cortina. Un rayo de luna atravesó el mosquitero de la ventana e iluminó el rostro asustado de mi hermana pequeña.

—¿Qué es eso que se oye, Gaby?

No la entendí. La noche era tranquila. Sólo percibía el ulular de la lechuza instalada en el falso techo, sobre nuestra habitación. Me incorporé y esperé, hasta que resonaron varios ruidos secos muy seguidos.

—Parecen disparos...

Ana se metió en mi cama y se pegó a mí. Un silencio angustioso sucedía al sonido de las explosiones y a los disparos de metralleta. Ana y yo estábamos solos en casa. Desde hacía algún tiempo, papá dormía fuera con frecuencia, Innocent decía que se veía con una joven que vivía en la calle de detrás de la suya, en el barrio popular de Bwiza. Eso me entristecía, porque, desde que se hablaban de nuevo, tenía la esperanza de que mamá y papá volvieran a estar juntos.

Apreté el botón que iluminaba mi reloj: señalaba las dos de la madrugada. A cada explosión, Ana se apretaba más fuerte contra mí.

—¿Qué pasa, Gaby?

—No lo sé...

Los disparos cesaron hacia las seis de la mañana. Papá no había regresado aún. Nos levantamos, nos vestimos y luego preparamos nuestras carteras. Prothé tampoco estaba. Pusimos la mesa del desayuno en la terraza. Preparé el té. El loro daba bandazos en la jaula. Miré si había alguien en la parcela. No se veía un alma. Incluso el *zamu* había desaparecido. Después de comer, recogimos la mesa. Ayudé a Ana a peinarse. Seguía sin haber nadie en casa. Yo vigilaba el portón, era la hora a la que se suponía que debían llegar los empleados, pero nada se movía. Nos sentamos en los escalones de la entrada a esperar la llegada de Innocent o de papá. Ana sacó un cuaderno de matemáticas de su cartera y se puso a recitar la tabla de multiplicar. En el camino, delante de la casa, no había peatones ni coches. ¿Qué ocurría? ¿Dónde estaban todos? Se oía una melodía de música clásica. Estábamos a jueves, pero en el barrio había más calma que en una mañana de domingo.

Finalmente, un coche se aproximó. Reconocí el claxon del Mitsubishi Pajero y me precipité a abrir el portón. Papá estaba serio y tenía ojeras. Bajó del coche y nos preguntó si estábamos bien. Le dije que sí con la cabeza, pero Ana puso mala cara, estaba enfadada con él por habernos dejado solos toda la noche. Papá caminó rápido hacia el salón y encendió la radio. Oímos la misma melodía de música clásica que flotaba fuera, en el vecindario. Se llevó una mano a la frente mientras repetía:

—¡Mierda, mierda, mierda!

Más tarde, supe que era una tradición poner música clásica en la radio cuando hay un golpe de Estado. El 28 de noviembre de 1966, durante el golpe de Estado de Michel Micombero, fue la *Sonata para piano n.º 21* de Schubert; el 9 de noviembre de 1976, durante el de Jean-Baptiste Bagaza, la *Séptima sinfonía* de Beethoven, y el 3 de septiembre de 1987, cuando el de Pierre Buyoya, el *Bolero en do mayor* de Chopin.

Aquel día, 21 de octubre de 1993, tuvimos derecho a *El ocaso de los dioses* de Wagner. Papá cerró el portón con la ayuda de una gruesa cadena y varios candados. Nos ordenó no salir de casa y mantenernos alejados de las ventanas. Luego puso nuestros colchones en el pasillo, por el peligro que podían suponer las balas perdidas. Nos pasamos todo el día tumbados en el suelo. Fue bastante divertido, porque teníamos la impresión de estar de acampada en nuestra propia casa.

Como de costumbre, papá se encerró en su habitación para hacer llamadas. Hacia las tres de la tarde, Ana y yo jugábamos a las cartas mientras él estaba al teléfono en su habitación, cuando oí que llamaban a la puerta de la cocina. Fui a ver, con sigilo. Gino estaba detrás de los barrotes, sin aliento.

—No puedo abrirte, mi padre ha cerrado a cal y canto. ¿Cómo has entrado en la parcela? —le murmuré.

—He pasado por debajo de la cerca. De todas formas no voy a quedarme mucho rato. ¿Estás al corriente?

—Sí, lo sé, hay un golpe de Estado, hemos oído la música clásica.

—Los militares han matado al nuevo presidente.

—¿Qué? No te creo... Júralo.

—¡Te lo juro! Un periodista canadiense ha llamado a mi padre para contárselo. Es un golpe de los militares. También han matado al presidente de la Asamblea Nacional y a otros grandes *bwanas* del gobierno... Parece que han comenzado los asesinatos en todo el interior del país. Y no sabes lo mejor.

—No, ¿qué más?

—¡*Atila* se ha escapado!

—¿*Atila*, el caballo de los Von Gotzen?

—¡Ajá! Qué locura, ¿no? Durante la noche ha caído un obús cerca del club de hípica, detrás de la residencia presidencial. Un edificio ha empezado a arder y los caballos se han asustado. *Atila* se ha vuelto loco, se ha encabritado, relinchando como un chiflado y se ha puesto a soltar coces contra la puerta de su cuadra hasta reventar el cerrojo, y luego ha saltado las barreras antes de desaparecer en la ciudad... Tendrías que haber visto a la señora Von Gotzen esta mañana... Ha venido a nuestra casa en camisón, con rulos en la cabeza y los ojos hinchados por el llanto. ¡Muy cómica! Quería que mi padre echara mano de sus relaciones para encontrar a su caballo. Y él no paraba de repetirle: «Se ha producido un golpe de Estado, señora Von Gotzen, no puedo hacer nada por usted, ni siquiera el presidente de la República ha podido hacer nada por sí mismo.» Y ella insistía una y otra vez: «¡Hay que encontrar a *Atila*! ¡Llame a Naciones Unidas! ¡A la Casa Blanca! ¡Al Kremlin!» El asesinato del presidente le daba igual, ella no hablaba más que de su jamelgo, la vieja racista. ¡No puedo con los colonos! La vida de sus animales es más importante para ellos que la de las personas. Bueno, te dejo, Gaby, tengo que largarme. La continuación de los acontecimientos, en el próximo episodio.

Gino se fue corriendo. Parecía estar muy excitado con la situación, casi contento de que sucedieran cosas tan graves. Yo me sentía perdido, me costaba comprender. El asesinato del presidente... Volví a pensar en lo que papá dijo el día de la victoria de Ndadaye: «Tarde o temprano les van a hacer pagar esta afrenta.»

Esa noche nos acostamos pronto. Papá fumaba más de lo habitual. También él había sacado su colchón al pasillo y escuchaba una pequeña radio mientras acariciaba los cabellos de Ana, que ya dormía profundamente. Una sola vela nos iluminaba, con lo que quedaban en penumbra los contornos del lugar.

Hacia las nueve de la noche cesó la música clásica y un locutor tomó la palabra, en francés. Se aclaraba la garganta entre frase y frase, su voz monótona contrastaba con la gravedad de la situación, parecía que estuviera anunciando los resultados deportivos de una competición local de voleibol:

—El Consejo de Salvación Nacional ha tomado las siguientes decisiones: toque de queda en todo el territorio de seis de la tarde a seis de la mañana; cierre de las fronteras; se prohíbe el desplazamiento de personas de un municipio a otro; quedan prohibidas las reuniones de más de tres personas; el Consejo llama a la población a mantener la calma...

Me dormí antes de que terminara la lista. Soñé que dormía plácidamente, sobre una nubecita bien mullida, formada por los vapores de azufre de un volcán en erupción.

17

Durante varios días dormimos en el pasillo, sin abandonar la casa en ningún momento. Un gendarme de la embajada de Francia llamó a papá para aconsejarle que evitara cualquier salida. Mamá, que vivía en casa de una amiga, en la parte alta de la ciudad, nos telefoneaba todos los días para saber cómo estábamos. La radio anunciaba importantes matanzas en el centro del país.

La escuela reabrió la semana siguiente. La ciudad estaba extrañamente en calma. Algunas tiendas habían levantado las persianas, pero los funcionarios no habían reanudado su trabajo y los ministros seguían refugiados en las embajadas extranjeras o en los países limítrofes. Al pasar delante del palacio presidencial, vi que el muro del recinto estaba dañado. Ésas eran las únicas huellas del combate que se veían en la ciudad. En el patio de recreo, los alumnos hablaban de la noche del golpe de Estado, de los disparos, del ruido de los obuses, de la muerte del presidente y de los colchones en los pasillos. Nadie tenía miedo. Para nosotros, niños privilegiados del centro de la ciudad y de los barrios residenciales, la guerra no era todavía más que una simple palabra. Habíamos oído cosas, pero no habíamos visto nada. La vida continuaba como antes, con nuestras historias de guateques, amores, marcas y moda. Los criados de nuestras casas, los empleados de nuestros padres, que vivían en los barrios populares, en Buyumbura Rural, en el interior del país, y que no recibían consignas de seguridad de ninguna embajada, ni tenían centinelas que vigilaran sus casas, ni chofer que acompañara a sus hijos a la escuela, y que se desplazaban a pie, en bici o en autobús, ellos sí que veían la dimensión de los acontecimientos.

A mi regreso de la escuela, Prothé estaba pelando guisantes en la mesa de la cocina. Sabía que él había votado por Ndadaye y que había sentido una gran alegría en el momento de su victoria. Apenas me atrevía a mirarle.

—Buenos días, Prothé. ¿Cómo estás?

—Señor Gabriel, discúlpeme, pero no tengo fuerzas para hablar. Han matado la esperanza. Han matado la esperanza, eso es todo lo que puedo decir. Verdaderamente, han matado la esperanza...

Cuando salí de la cocina, él seguía repitiendo esa frase.

Después del almuerzo, Donatien e Innocent me acompañaron a la escuela. De camino, a la altura del puente Muha, nos cruzamos con un blindado del ejército.

—Mirad a esos militares, están perdidos —dijo Donatien con tono de hartazgo—. Primero dan un golpe de Estado, matan al presidente, y ahora que la población está furiosa, que el interior del país está desgarrado, dan marcha atrás y piden al gobierno que regrese para apagar el fuego que ellos han encendido. Pobre África... Que Dios nos ayude.

Innocent no decía nada, conducía mirando fijamente la carretera delante de él.

A partir de ese momento, los días pasaron más deprisa a causa del toque de queda que obligaba a estar en casa a las seis de la tarde, antes de la caída de la noche. Durante la cena, comíamos la sopa escuchando la radio y sus noticias alarmantes. Comencé a hacerme preguntas sobre los silencios y las palabras no dichas de unos, y de los sobrentendidos y las predicciones de otros. Aquel país estaba hecho de cuchicheos y enigmas. Había fracturas invisibles, suspiros, miradas que no comprendía.

Los días pasaban y la guerra seguía causando estragos en las zonas rurales. Había pueblos arrasados, incendiados, escuelas atacadas con granadas, alumnos quemados vivos en su interior. Cientos de miles de personas huían hacia Ruanda, Zaire o Tanzania. Se hablaba de enfrentamientos en las zonas periféricas de Buyumbura. Por la noche se oían disparos a lo lejos. Prothé y Donatien faltaban con frecuencia al trabajo porque el ejército realizaba numerosas redadas en sus barrios.

Desde el vientre acogedor de nuestra casa, todo aquello parecía irreal. El callejón dormitaba, como era su costumbre. A la hora de la siesta se oía el piar de los pájaros en las ramas, la brisa movía el follaje de los árboles, los gigantescos y venerables ficus nos ofrecían su sombra reconfortante. Nada había cambiado. Nosotros proseguíamos con nuestros juegos y exploraciones. Las intensas lluvias habían vuelto. La vegetación había recuperado los colores vivos. Los árboles se doblaban bajo el peso de los frutos maduros y el río volvía a tener agua.

Una tarde, mientras los cinco callejeábamos, descalzos y con las varas en la mano, en busca de mangos, Gino propuso ir más lejos, porque ya habíamos saqueado los árboles del callejón. Nos reunimos delante de la cerca de la casa de Francis. Tuve un mal presentimiento.

—No nos quedemos aquí, vamos a tener problemas.

—¡Vamos, no seas cobardica, Gaby! —respondió Gino—. Ese árbol de mangos es para nosotros.

Armand y los gemelos se miraron, dubitativos, pero Gino insistió. Avanzamos despacio por el paseo, con pasos discretos sobre la gravilla. Era fácil entrar en la parcela, pues no tenía portón. La casa estaba en lo alto de una colina; se la veía siniestra, con las paredes decrépitas y manchas de humedad que combaban las placas de yeso del falso techo de la veranda. El árbol de mango desplegaba sus ramas por todo el jardín. Nos acercamos. Unos mosquiteros llenos de suciedad, colocados detrás de los barrotes de las ventanas, nos impedían distinguir el interior de la casa. Las puertas estaban cerradas, el lugar, demasiado tranquilo. Nos detuvimos al pie del árbol y Gino hizo caer un mango, luego dos, después tres. Su vara removía el follaje como una bandada de cálaos. Yo seguía alerta.

De pronto me pareció ver pasar una sombra furtiva por detrás de los mosquiteros polvorientos.

—¡Esperad!

Los cuatro se pararon y escrutaron la casa. Reinaba el silencio. Sólo se distinguía el murmullo del río

125

Muha al fondo del jardín. Gino siguió cogiendo mangos. Armand lo animaba y bailaba soukous cada vez que un fruto aterrizaba sobre la hierba. Los gemelos y yo permanecíamos alerta. Detrás de nosotros, un pájaro levantó el vuelo batiendo alas. Volvimos la cabeza. Armand y los gemelos fueron los primeros en echar a correr, a la velocidad de la luz, en dirección al camino. A continuación arrancó Gino, y yo lo seguí sin pensar. Rodeamos la casa, bajamos a la carrera la cuesta que llevaba hasta el Muha. Tenía miedo de que nos atraparan. No estaba seguro de si Francis nos estaba siguiendo, así que me volví para comprobarlo. Entonces fue cuando su puño me golpeó la cara y yo fui a estrellarme contra las piedras. Luego me cayó encima una lluvia de golpes como un enjambre de avispas. Gino gritaba e intentaba protegerme. Lo vi caer a mi lado, a pocos centímetros de mí. Unas manos nos arrastraron hasta el borde del río y Francis nos hundió la cabeza en el agua marrón y fangosa del Muha. Yo no podía respirar. Mi cara rozaba contra las piedras del fondo. Me debatía para soltarme, pero la mano de Francis era un yugo que me aplastaba el cuello. Cuando me sacaba a la superficie, oía fragmentos de sus frases.

—No está bien robar en el jardín de otros. Vuestros padres no os enseñaron eso, ¿eh?

Luego volvía a sumergirme, la cabeza primero, con una rabia que me paralizaba. Lo veía todo borroso. Agitaba las manos desesperadamente, buscando en vano agarrarme a algo: una rama, una boya, una esperanza... Arañaba el suelo con las uñas como si quisiera encontrar otra salida, una trampilla escondida en el lecho del río. El agua se me metía por las orejas, por la nariz. Y la voz continuaba en sordina. Era muy suave, en comparación con la fuerza de la mano que me mantenía bajo el agua.

—Panda de niños mimados, os voy a enseñar buenas maneras.

Además de ahogarme, Francis intentaba aturdirme. Mi frente golpeaba contra el suelo. Mi único instinto era encontrar aire lo antes posible. ¿Dónde lo había? Mis pulmones se asfixiaban, se encogían sobre sí mismos. Mi corazón palpitaba de espanto, como si fuera a escapárseme por la boca. Yo escuchaba el eco lejano de mis gritos ahogados. Llamaba a papá y a mamá. ¿Dónde estaban? Francis no estaba jugando. No había duda, estaba decidido a matarme. ¿Así que aquello era la violencia? El miedo y el asombro se apoderan de uno en el acto. Francis me sacaba de golpe la cabeza del río y yo oía:

—¡Vuestras madres son las putas de los blancos! Y de nuevo estaba tragando agua. Estaba perdiendo el combate. Lentamente, mis músculos agotados se relajaron; aceptaba la situación en aquellos diez centímetros de agua, con la voz de Francis acunándome, me dejaba ir imperceptiblemente. El miedo y la sumisión eran para mí; la violencia y la fuerza, para él.

Pero Gino se negaba a ahogarse. Con todas sus fuerzas. Rechazaba el agua y las palabras. Él veía más lejos. Quería seguir recogiendo mangos en noviembre y construir fragatas con las largas hojas de los bananos para bajar por el río. No estaba paralizado por el miedo, ni siquiera fascinado por aquella violencia nueva. Él la desafiaba. Aun a merced de Francis, se comportaba de igual a igual. Respondía, replicaba, reaccionaba. Con el rabillo del ojo vi las venas de su cuello hinchadas como una cámara de aire.

—¡No insultes a mi madre! ¡No insultes a mi madre!

Sentí que la presión sobre mi nuca se relajaba. Francis intentaba contener la energía creciente de Gino. Necesitaba usar los dos brazos, las dos manos y apoyarle las rodillas en la espalda. Conseguí un poco de aire para mis pulmones. A cuatro patas, primero, antes de derrumbarme sobre la espalda. Escupía agua sin parar. Había mucha luz en aquel cielo azul. Cerré los ojos, deslumbrado por el sol, y me arrastré hasta apoyar la cabeza contra un tronco de banano caído en el suelo. Tenía una oreja taponada.

—¡Nadie tiene derecho a insultar a mi madre! —repetía Gino.

—Sí, yo lo tengo si quiero. La zorra de tu madre.

Francis volvió a hundir la cabeza de Gino en aquella agua marrón en la que yo había querido rendirme. Era la hora de la siesta. El momento más caluroso del día. La calle estaba desierta. No se veía ni un coche allí abajo, en el puente. La corteza del banano me pareció una piel mullida sobre la que dejar descansar mi cabeza aturdida. Escupí agua antes de ponerme a toser palabras de pánico. Francis no cejaba, seguía como las lavanderas, que hunden la ropa en el agua mientras charlan de la lluvia o del buen tiempo. Al final de cada frase de Francis, la cabeza de Gino desaparecía entre la espuma del río.

—¿Y dónde está la puta de tu madre? Nunca la hemos visto en el barrio...

Gino aspiraba algunas bocanadas de aire antes de hundirse como el flotador del anzuelo que un pez acaba de morder. Gritaba debajo del agua, y eso formaba remolinos en torno a su cabeza.

—¿Dónde está la puta de tu madre?

Y cuanto más lo repetía Francis, más se ahogaba Gino, y más gritaba yo que lo soltara, y más volvía Francis a hacerle la misma pregunta. Gino perdía fuerzas. Se estaba rindiendo.

Cuando por fin me levanté, una vez que sentí que había reunido el valor suficiente para intentar detener a Francis, Gino balbució:

—Muerta.

Oí la palabra claramente. Lo dijo por segunda vez, con un ligero sollozo.

—Mi madre está muerta.

Allí abajo, en el puente, un viejo estaba apoyado contra la balaustrada; llevaba un sombrero negro en la cabeza y un paraguas arcoíris abierto, cuya punta de metal brillaba como una estrella de Navidad. A los viejos les gusta mirar a los niños mientras éstos juegan en los ríos. Saben que ellos ya nunca podrán hacerlo. Francis le hizo seña con la mano. El viejo no respondió. Siguió mirándonos un momento antes de proseguir su camino a pasos cortos, con su sombrero negro y su paraguas de colorines. Francis pasó delante de mí y yo reculé, pero ni siquiera me miró, se fue. Me acerqué a Gino, que lloraba en la orilla del río. Con la cabeza entre las piernas, sollozaba bajo la ropa mojada. Y todo parecía todavía más tranquilo. El agua corría delante de nosotros, cruelmente indiferente. Quise consolarlo y le puse una mano en el hombro. Me la apartó, se levantó con brusquedad y partió en dirección a la carretera.

Me quedé sentado en la orilla. La oreja se me había destaponado. Poco a poco volvió el ruido del tráfico. Las campanillas de las bicis chinas, las sandalias que golpeteaban la tierra arcillosa de la acera, el ruido de los neumáticos del minibús sobre el asfalto caliente. Todo volvía a la vida. Había movimiento en el puente. Sentí que me crecía una cólera fría. Me sangraba la boca, tenía raspones en las manos y en las rodillas. Me las lavé en el Muha.

La cólera me decía que tenía que desafiar al miedo para que ella dejara de crecer. A ese miedo que me hacía renunciar a demasiadas cosas. Decidí enfrentarme a Francis. Regresé a su jardín para recuperar nuestras varas. Él estaba en el umbral de la puerta y me amenazó cuando me acerqué. Seguí avanzando. Sentía la sangre en la lengua, tenía gusto a sal. Me quedé inmóvil y lo miré fijamente a los ojos. Largamente. Él no se movió, tras su sonrisa arrogante. Se quedó en el porche de la casa. Con la cabeza metida en el río, había sentido miedo de él, pero ahora no. Tenía aquel regusto a sangre en la boca, pero eso no era nada, nada en comparación con el llanto de Gino. Bastaba con tragarse la sangre y uno se olvidaba de su sabor. Pero ¿y las lágrimas de Gino? La cólera había reemplazado al miedo. Ya no temía lo que pudiera sucederme. Cogí nuestras varas y dejé los mangos. Nadie los iba a recoger nunca. Lo sabía. Pero no me importaba. Con aquella cólera que crecía en mí, me daba igual que los mangos se pudrieran sobre la hierba fresca.

18

Desde ese día, Gino me rehuía. Armand y los gemelos no estaban al corriente de lo que había pasado allí, en el río. Les había hecho creer que habíamos escapado como ellos. Las lágrimas de Gino me seguían obsesionando. ¿De verdad su madre estaba muerta? No me atrevía a hacerle la pregunta. Todavía no. Vivíamos días inciertos. Las semanas parecían un cielo en la estación de lluvias. Cada jornada traía su lote de rumores, violencia y consignas de seguridad. El país seguía sin presidente y una parte del gobierno vivía en la clandestinidad. Pero en los bares se bebía cerveza y se comía brocheta de cabra como si con ello se quisiera resistir la incertidumbre del día siguiente.

Un nuevo fenómeno se apoderó entonces de la capital. Lo llamaban jornadas de «ciudad muerta». Se repartieron panfletos por la ciudad con un mensaje que invitaba a la población a no circular uno o varios días concretos. Cuando esas jornadas comenzaban, bandas de jóvenes tomaban las calles, con la complacencia de las fuerzas del orden, levantaban barreras en los ejes principales de diferentes barrios y agredían o tiraban piedras a los coches o a los peatones que se atrevieran a salir de sus casas. El miedo se abatía entonces sobre la ciudad. Las tiendas no abrían, las escuelas cerraban, los vendedores ambulantes desaparecían y todo el mundo se encerraba en casa. El día siguiente a esas jornadas de paralización, se contaban los cadáveres en las cunetas, se retiraban las piedras de las calzadas y la vida recuperaba su curso habitual.

Papá estaba angustiado. Él, que siempre intentaba mantenernos alejados de la política, se sentía incapaz de ocultarnos la situación del país. Se lo veía cansado, estaba preocupado por sus hijos y por sus negocios. Había interrumpido las obras en el interior del país por causa de las matanzas que estaban produciéndose a gran escala, se hablaba de cincuenta mil muertos, y había tenido que despedir a gran parte de sus trabajadores.

Una mañana en que yo estaba en la escuela, tuvo lugar un incidente en nuestra parcela en presencia de papá. Se produjo una violenta disputa entre Prothé e Innocent. No sé de qué se trataba, pero Innocent le levantó la mano a Prothé. Papá despidió inmediatamente a Innocent, que no quería disculparse y amenazaba a todo el mundo.

La tensión constante tenía nerviosa a la gente, que se volvía sensible al menor ruido, caminaba alerta por la calle, miraba por el retrovisor para asegurarse de que no la seguían. Todo el mundo estaba en guardia. Un día, en plena clase de Geografía, un neumático reventó en el bulevar de la Independencia, al otro lado de la valla, y toda el aula, incluido el profesor, se tiró al suelo debajo de las mesas.

En la escuela, las relaciones entre los alumnos burundeses cambiaron. Era algo sutil, pero me daba cuenta. Se hacían muchas alusiones misteriosas, se hablaba con sobrentendidos. Cuando había que formar grupos, para hacer deporte o para preparar exposiciones, se percibía de inmediato el malestar. No conseguía explicarme aquel cambio brutal, aquel malestar palpable.

Hasta el día en que, durante el recreo, dos chicos burundeses se pelearon más allá del gran prado, a resguardo de las miradas de profesores y vigilantes. Al calor del altercado, el resto de los alumnos burundeses se dividió rápidamente en dos grupos, cada cual en apoyo de uno de los dos chicos. «Sucios hutus», decían unos. «Sucios tutsis», replicaban los otros.

Aquella tarde, por primera vez en mi vida, entré en la realidad profunda del país. Descubrí el antagonismo entre hutus y tutsis, la infranqueable línea de demarcación que obligaba a cada cual a estar en un bando u otro. Uno cargaba con ese bando desde que nacía, igual que se recibe un nombre, y eso lo perseguía para siempre. Hutu o tutsi. Se era una cosa u otra. Cara o cruz. Como un ciego que recupera la vista, empecé entonces a comprender los gestos y las miradas, los sobrentendidos y las actitudes cuyo sentido siempre se me había escapado.

Sin que se le pida, la guerra se encarga siempre de procurarnos un enemigo. Yo, que quería permanecer neutral, no pude serlo. Había nacido con aquella historia. Me corría por dentro. Le pertenecía.

19

En Ruanda descubrimos una realidad todavía más violenta cuando mamá, Ana y yo fuimos allí, al final de las vacaciones de febrero, para asistir a la boda de Pacifique. Éste nos había dado la noticia una semana antes. La creciente inseguridad en Kigali había acelerado las cosas. Ana, mamá y yo debíamos representar a la familia. La abuela y Rosalie se quedaron en Buyumbura, pues su condición de refugiadas les impedía viajar.

En el vestíbulo del aeropuerto Grégoire Kayibanda nos esperaba Eusébie, la tía de mamá, que era poco mayor que ella y que siempre se había negado a exiliarse. Mamá la consideraba como la hermana mayor que nunca tuvo. Su piel era tan clara como la mía. Su rostro alargado era como el de las mujeres de la familia, con una frente ancha y abombada, orejas muy pequeñas, una nuca grácil, dientes sanos y ligeramente prominentes, y pecas que le salpicaban la nariz y los párpados. Llevaba una falda negra plisada que le cubría los pies y las anchas hombreras de su chaqueta le daban un aire de espantapájaros. Ana había pasado ya una semana en su casa, pero yo no la conocí hasta entonces. Ella, muy emocionada, me apretó con fuerza contra su piel suave, que olía a manteca de karité.

Eusébie era viuda y vivía en una casa del centro de Kigali, en la que criaba sola a sus cuatro hijos, tres niñas y un chico, de cinco a dieciséis años: Christelle, Christiane, Christian y Christine.

Las hijas de tía Eusébie se precipitaron hacia Ana y no volvieron a separarse de ella. La convirtieron en su invitada de honor, una muñeca a la que mimar durante algunos días. Se disputaban su compañía y se peleaban por peinarle los cabellos lisos, tan exóticos para ellas. En las paredes de su habitación habían colgado las fotos con Ana tomadas un año antes, durante las vacaciones de Navidad.

Christian tenía la misma edad que yo y sus ojos risueños me contemplaban con alegría. Era casi tan parlanchín como los gemelos y tenía una curiosidad sin límites. Me hacía mil preguntas sobre Burundi, sobre mis amigos y mis deportes preferidos. Él estaba orgulloso de ser el capitán del equipo de fútbol de su escuela e insistió en mostrarme las copas y medallas que habían conseguido en los campeonatos interescolares, expuestas ostensiblemente sobre la gran cómoda del salón. Saltaba de impaciencia ante la idea de la próxima Copa Africana de Naciones, que se celebraba en Túnez. Su equipo favorito, Camerún, no se había clasificado, así que había decidido apoyar a Nigeria.

Durante la cena, tía Eusébie nos contó un montón de anécdotas que provocaban en mamá interminables ataques de risa. Relataba con mucho humor las vacaciones que, de adolescentes, las dos pasaban con los scouts en la campiña de Burundi. Transformaba las desdichas y las dificultades de nuestra familia en una divertida serie de historias y aventuras rocambolescas, con la complicidad cariñosa de sus hijos, que aplaudían, la animaban a seguir, a veces terminaban el relato en su lugar o la ayudaban a encontrar las palabras en francés. Tras la cena, tía Eusébie nos dijo que nos preparáramos para acostarnos y al instante los niños salieron disparados con alegre alboroto. En el cuarto de baño, las chicas usaban sus cepillos de dientes como micrófonos y cantaban y bailaban delante del gran espejo. Christian se había puesto una camiseta de Roger Milla a modo de pijama. Antes de dormir, le gustaba hacer malabares con la pelota y lanzarla contra la pared de su habitación, cubierta de pósteres de futbolistas. Después de eso, decía, estaba seguro de que iba a soñar consigo mismo, victorioso, en la final de la Copa del Mundo.

Christian se durmió apenas dos minutos después de que tía Eusébie apagara la luz. Yo estaba a punto de caer a mi vez, cuando oí la voz de Pacifique. Me precipité al salón. Esperaba verlo con uniforme militar, pero iba vestido con un simple polo, vaqueros y zapatillas de deporte blancas. Me levantó del suelo y me alzó por encima de su cabeza.

—¡Mírate, Gaby! ¡Estás hecho un hombre! ¡Pronto superarás a tu tío!

Seguía teniendo cara de ángel y un aire informal de poeta, pero su mirada había cambiado, se había vuelto grave. Tía Eusébie, con un gran manojo de llaves en la mano, se ocupaba de cerrar las puertas de la casa a cal y canto. Volvió de la cocina y apagó la luz del salón. La llama de un mechero surgió un segundo más tarde para encender una vela que estaba sobre la mesa baja y Pacifique se sentó en el sillón, enfrente de mamá. Ella me dijo que me fuera a acostar, que debían hablar entre adultos. Obedecí arrastrando los pies, pero en vez de regresar a la cama me quedé en el pasillo, justo detrás de la puerta, desde donde podía observarlos sin que me vieran. Cuando tía Eusébie se sentó al fin, Pacifique se volvió hacia mamá.

—Gracias por haber venido tan rápidamente, hermana mayor. Perdóname por esa organización tan apresurada. No podía esperar más para la boda. Ya sabes, la familia de Jeanne es muy religiosa, está muy atada a las tradiciones, a hacer las cosas como se debe. Así que teníamos que casarnos antes de anunciarles lo del bebé, ¿lo entiendes? —dijo, subrayando la pregunta con un guiño.

Mamá calló un momento, como para asegurarse de que lo había entendido bien, luego lanzó un grito de alegría antes de estrechar a Pacifique entre sus brazos. Tía Eusébie, que ya estaba al corriente, esbozaba una sonrisa radiante. Pacifique se libró enseguida del abrazo de mamá y dijo, preocupado:

—Siéntate, por favor, tengo más cosas que decirte.

Su rostro se había ensombrecido. Le hizo una seña con el mentón a tía Eusébie, que de inmediato se dirigió hacia la ventana y echó una rápida ojeada al exterior antes de cerrar las celosías y correr las cortinas. Volvió a sentarse al lado de Pacifique, debajo de un marco rococó de plástico en el que había una hermosa foto de estudio en blanco y negro de ella con su

137

marido y sus hijos. Curiosamente, tía Eusébie era la única que sonreía en la imagen. El resto de la familia se mostraba seria y rígida delante del objetivo.

Pacifique acercó su sillón, de modo que sus rodillas tocaban las de mamá, y comenzó a hablar con una voz casi inaudible.

—Yvonne, tienes que escucharme atentamente. Tienes que tomarte muy en serio lo que voy a decirte. La situación es más grave de lo que parece. Nuestros servicios de información han interceptado mensajes inquietantes y han detectado indicios que nos hacen pensar que se está preparando algo terrible aquí. Los extremistas hutus no quieren compartir el poder con nosotros, con el FPR. Están dispuestos a hacer lo que sea para que naufraguen las negociaciones de paz. Han previsto liquidar a todos los líderes de la oposición y a todas las personalidades hutu moderadas de la sociedad civil. Luego se encargarán de los tutsis...

Hizo una pausa y miró a su alrededor aguzando el oído, al acecho del menor ruido anormal. Fuera, los sapos croaban con una cadencia regular. A pesar de las cortinas corridas, una pálida luz anaranjada proveniente de una farola de la calle conseguía abrirse camino hasta el salón. Él prosiguió, siempre en voz baja:

—Tememos que haya grandes matanzas por todo el país. Matanzas que van a hacer que las precedentes parezcan simples ensayos.

La luz de la vela proyectaba su sombra contra la pared. La oscuridad difuminaba los rasgos de su cara. Sus ojos parecían suspendidos en las tinieblas.

—Se han repartido machetes por todas las provincias, hay muchas armas ocultas en Kigali, las milicias se están entrenando con apoyo del ejército regular. Han distribuido listas con los nombres de las personas que hay que asesinar en cada barrio, incluso en Naciones Unidas han recibido informaciones que confirman que tienen capacidad para matar mil tutsis cada veinte minutos...

Un coche pasó por la calle. Pacifique se calló. Esperó a que se alejara y luego volvió a hablar en un murmullo:

—La lista es todavía más larga de lo que esperábamos. Nuestras familias tienen el tiempo contado. La muerte nos rodea, muy pronto se abatirá sobre nosotros y entonces estaremos atrapados.

Perturbada, confusa, mamá buscó con los ojos la confirmación de tía Eusébie, que clavaba la mirada con tristeza en un punto del suelo.

—¿Y los acuerdos de Arusha? ¿Y el gobierno de transición? —preguntó mamá con voz aterrada—. Pensaba que la guerra se había acabado, que las cosas ya se estaban arreglando. Y esa masacre que anuncias, ¿cómo podría tener lugar en Kigali, con tantos cascos azules por aquí? Eso no es posible...

—Bastará con que maten a algunos de ellos y todos los blancos que están en el país serán evacuados. Eso forma parte de su estrategia. Las grandes potencias no van a arriesgar la vida de sus soldados por la de unos pobres africanos. Los extremistas lo saben.

—¿Y a qué esperamos para informar a la prensa internacional, a las embajadas, a Naciones Unidas?

—Lo saben perfectamente. Tienen la misma información que nosotros. No le dan ninguna importancia. No hay que esperar nada de ellos. Sólo contamos

139

con nosotros mismos. Si he venido a verte es porque necesitamos tu ayuda, hermana mayor. Como único hombre de nuestra familia, debo tomar una decisión rápidamente. Te pido que acojas en Buyumbura a los hijos de tía Eusébie, así como a mi futura mujer y al bebé que lleva dentro. Se quedarán en Burundi el tiempo que sea necesario. Allí estarán seguros.

—Pero tú sabes muy bien que en Burundi también hay guerra —dijo mamá.

—Aquí va a ser mucho peor que una guerra.

—¿Cuándo tenéis pensado mandarlos? —preguntó mamá sin perder tiempo.

—Todo el mundo irá allí con motivo de las vacaciones de Pascua, a fin de no levantar sospechas.

—¿Y tú, Eusébie? ¿Qué vas a hacer tú?

—Voy a quedarme, Yvonne, tengo que seguir trabajando por los niños. Sin ellos me sentiré menos vulnerable. En cualquier caso, no podemos huir todos. Estaré bien, no te preocupes, tengo contactos en Naciones Unidas; en caso de problemas, lograré que me evacúen.

Se oyó el sonido de un motor delante de la casa y Eusébie se precipitó hacia la ventana y entreabrió levemente las cortinas. Alguien hacía señas con los faros. Se volvió y le hizo un gesto con la cabeza a Pacifique. Cuando éste se levantó, vi que llevaba un revólver metido en la cintura de los vaqueros.

—Tengo que irme, me esperan. Nos vemos mañana en la boda. Tened cuidado en el camino. No podré hacer el trayecto con vosotros hasta Gitarama; los servicios secretos me vigilan de cerca y no quiero que establezcan la conexión entre vosotras y yo. Las familias de los soldados del FPR están a la cabeza de las listas de personas a las que asesinar. Nos vemos a la hora de la ceremonia.

A continuación se escabulló fuera. Salí de mi escondite y me puse con tía Eusébie delante de la ventana. Una moto se alejaba. Se veían las luces rojas de su faro trasero cuando frenaba antes de los baches. Poco a poco el ruido del motor disminuyó hasta apagarse. Eusébie volvió a correr las cortinas. Nada se movía. El mundo entero estaba en silencio.

20

Las primeras luces del día barrieron la angustia de la noche. Las risas de Ana y de nuestros primos en el jardín me despertaron. Tía Eusébie y mamá no habían pegado ojo; las había oído cuchichear hasta el alba. Inmediatamente después del desayuno nos pusimos en camino. Christian y yo íbamos en la parte de atrás del coche, sentados sobre las maletas que contenían nuestra ropa para la boda. Tía Eusébie prefirió que nos la pusiéramos al llegar allí, para llamar la atención lo menos posible en caso de que la policía nos parara en un control. Las niñas iban apretadas unas junto a otras en el asiento posterior del vehículo familiar. Mamá, que estaba sentada delante, se maquillaba frente al espejo de la visera. El coche atravesó primero barrios populares llenos de agitación y cláxones; luego, pasada la estación de autobuses, el paisaje fue poco a poco despejándose. La ciudad dejó sitio a pantanos llenos de plantas de papiro, que se perdían en el horizonte. Tía Eusébie conducía deprisa para llegar cuanto antes a Gitarama, a cincuenta kilómetros de Kigali. Durante un buen rato nos quedamos atrapados detrás de un camión, cuyo tubo de escape soltaba una espesa humareda negra. Las niñas subieron las ventanillas a toda prisa, tapándose la nariz a causa del olor a huevo podrido.

Mamá encendió la radio y el ritmo contagioso de la canción de Papa Wemba invadió de inmediato el vehículo. Las primas se pusieron a contonearse y Christian me miró con aire travieso, levantando las cejas y moviendo los hombros como un bailarín etíope. Tía Eusébie se apresuró a subir el sonido de la radio. Desde el maletero, veía balancearse las cabezas de izquierda a derecha al ritmo de la música. Las niñas acompañaban el estribillo: «¡María Valencia, eh, eh, eh!» Eso le hacía gracia a mamá, que se daba la vuelta para lanzarles guiños cómplices. Un locutor de la radio hacía el tonto, cantando por debajo de la música. Yo sólo comprendía algunas de las frases en kinyaruanda:

—¡Radio 106 FM! ¡La Radio Divertida! ¡Papa Wemba!

Con tono juguetón, repetía el estribillo, hablaba, bromeaba, un auténtico payaso de las ondas.

Yo, que detestaba bailar, también entré en el juego contoneándome, dando palmas de cualquier manera y cantando «eh, eh, eh» con entusiasmo, cuando de pronto me di cuenta de que los demás no se movían. La expresión de las caras de mis primos había cambiado. Christian estaba rígido. Tía Eusébie apagó la radio de repente. Nadie hablaba. Aunque no veía el rostro de mamá, sentía su malestar. Miré a Christian.

—¿Qué pasa?

—Nada. Estupideces. Es el locutor de la radio... Lo que estaba diciendo...

—¿Qué decía?

—Que todas las cucarachas deben morir.

—¿Las cucarachas?

—Sí, las cucarachas. Las *inyenzy*.

—...

—Usan esa palabra para hablar de nosotros, de los tutsis.

El coche aminoró la velocidad. Delante de nosotros, los vehículos estaban detenidos sobre un puente.

—Un control militar —dijo tía Eusébie, alterada.

Al llegar a la altura de los soldados, uno de ellos le hizo seña de que parase el motor y le pidió el carnet de identidad. Otro, con el Kaláshnikov en bandolera, nos inspeccionaba rodeando el vehículo con aire amenazador. Cuando pasó delante del maletero, pegó la cara al cristal. Christian volvió la cabeza para evitar cruzarse con su mirada; yo también. El soldado se acercó a continuación a mamá. Después de observarla, le pidió los papeles con tono seco. Ella le tendió su pasaporte francés. El soldado le echó un vistazo rápido por encima y luego, mofándose, le dijo en francés:

—Buenos días, madame la Francesa.

Hojeaba el pasaporte con expresión de estar divirtiéndose. Mamá no se atrevía a hablar.

—Mmm... —continuó él—. No creo que seas una verdadera francesa. Nunca he conocido a una con una nariz como la tuya. Ni con esa nuca...

Y entonces le pasó la mano por el cuello. Ella no se movió. Estaba tiesa de miedo. Tía Eusébie hablaba por su lado con el otro soldado, haciendo todo lo posible por disimular la angustia.

—Vamos a Gitarama a visitar a un pariente que está enfermo.

Yo miraba la barrera del control detrás de ellos; sus armas, que se balanceaban colgadas de los hombros; oía el ruido de las correas que crujían, y del río ocre y rojizo encajonado entre orillas de papiros, que corría bajo el puente formando efímeros remolinos en la superficie del agua. Era extraño comprender las alusiones del militar, el miedo en los gestos de tía Eusébie, el miedo de mamá. Un mes antes no me habría enterado de nada. Soldados hutus de un lado, una familia tutsi del otro. Asistía en primera fila al espectáculo del odio.

—¡Venga, largaos, banda de cucarachas! —dijo el soldado súbitamente, arrojando el carnet de identidad contra la cara de tía Eusébie.

El segundo soldado le devolvió el pasaporte a mamá y le presionó brutalmente la nariz con la punta del dedo índice.

—¡Adiós, hembra de serpiente! Y como eres francesa, ¡saluda de nuestra parte a tío Mitterrand! —añadió, burlándose de nuevo.

Cuando tía Eusébie arrancó, uno de los soldados le dio una patada a la carrocería. El segundo reventó con la culata una de las lunas traseras y trozos de cristal salieron proyectados hacia Christian y hacia mí. Ana soltó un grito agudo. Tía Eusébie partió a toda velocidad.

Cuando llegamos a casa de Jeanne, todavía estábamos en estado de shock, pero tía Eusébie nos pidió que no dijéramos nada para no aguarles la fiesta.

La familia de Jeanne vivía en una modesta casa de ladrillo rojo, rodeada por una cerca de euforbios, en las colinas de Gitarama. Sus padres y hermanos nos esperaban y, a modo de bienvenida, nos obsequiaron con un largo ritual de saludos codificados, con esa manera tan particular de palparse la espalda y los brazos, y acompañando sus gestos con las fórmulas adecuadas. Ana y yo nos sentíamos perdidos, con nuestros cuerpos patosos e incapaces de responder a las preguntas que nuestros anfitriones nos hacían en kinyaruanda.

Jeanne apareció entonces vestida de novia; era alta, casi tanto como Pacifique, de una belleza cautivadora. Llevaba en las manos un ramo de hibiscos rosa que le ofreció a Ana. Mamá se le acercó con dulzura, tomó su rostro entre las manos, le susurró algunas bendiciones al oído y le dio la bienvenida a nuestra familia.

Después de ponernos nuestras ropas de ceremonia, nos dirigimos a pie al ayuntamiento. Tomamos un atajo, un estrecho sendero de tierra flanqueado por casitas de fango y adobe pegadas unas a otras. Yo abría la marcha con Christian; Jeanne y mamá iban del brazo, con cuidado de no resbalarse. La pista desembocó en la carretera principal y asfaltada que lleva a Butare. A nuestro paso, los mirones se volvían, las bicis se detenían, la gente, curiosa, salía de sus casas para observarnos. Las miradas eran insistentes, nos atravesaban, nos diseccionaban allí mismo. Nuestro cortejo era la atracción del lugar.

Vestido con un traje gris mal ajustado, Pacifique nos esperaba en la sala de ceremonias. Había recuperado su expresión ingenua y ligera. El funcionario del registro civil parecía tener prisa y estar un poco ebrio. Con voz monocorde, recitó durante largos minutos artículos legales que enunciaban los derechos y deberes de los esposos. En la sala municipal éramos pocos, sólo la familia más cercana. Nadie sonreía, algunos bostezaban o miraban hacia fuera, hacia los altos eucaliptos que se mecían bajo el sol. Pacifique y Jeanne no ocultaban su emoción y parecía divertirles ser ya marido y mujer. No dejaban de mirarse, sonriendo ante la dicha del porvenir, rozándose a la mínima ocasión. Se habían dado el sí debajo del retrato del presidente. El mismo al que Pacifique combatía antes de las negociaciones de paz.

Después de la ceremonia, regresamos a casa de Jeanne. El cielo estaba gris, parecía casi de noche en pleno día y un fuerte viento levantaba nubes de polvo rojo por encima de la ciudad y arrancaba la chapa de los tejados de algunas casas. Tía Eusébie le dijo a Pacifique que debíamos regresar a Kigali antes de que acabara el día, que era más seguro, y él no insistió para retenernos. Conocía los riesgos y estaba contento de que, a pesar de todo, hubiéramos podido desplazarnos hasta allí.

Una lluvia breve, que lavó el cielo y le devolvió el sol que había perdido, nos retrasó, y luego llegó al fin el momento de partir. Jeanne nos dio las gracias ofreciéndonos un regalo a cada uno. Yo recibí una estatua de un gorila de las montañas en terracota. Mamá no le soltaba el brazo y le repetía lo impaciente que estaba por tenerla con nosotros en Buyumbura para que se conocieran mejor. Discretamente, deslizó un sobrecito con dinero en el bolsillo del anciano padre de Jeanne. Éste le dio las gracias quitándose su divertido sombrero de vaquero. Tía Eusébie se alejó con Jeanne hacia el fondo del pequeño jardín y rezó algunas plegarias por el niño, poniendo la palma de las manos sobre el vientre de la recién casada. Todo el mundo se despedía, asombrado de separarse ya, sorprendido de haber celebrado una boda tan deprisa, casi a escondidas. Christian y yo volvimos a nuestro lugar en el maletero del coche. Al cerrar la portezuela de mamá, Pacifique se inclinó hacia el vehículo.

—Ya haremos una fiesta digna de ese nombre, ¡y esa vez llevaré mi guitarra!

Todos lo aprobamos a coro.

—Pero ¿qué le ha pasado a esa luna, tía?

—Oh, nada, un pequeño accidente sin importancia —respondió tía Eusébie, evasiva.

Arrancó y maniobró para salir del estrecho patio. Antes de franquear el portón, me volví para decir adiós. Jeanne y Pacifique estaban delante, con sus trajes de boda y cogidos de la mano. Detrás de ellos, la familia de Jeanne permanecía inmóvil. La escena parecía una pintura, con aquella luz rosada del final de la tarde, que los iluminaba lateralmente. El vehículo se sacudía de un lado a otro mientras bajaba despacio por el caminito de tierra. Acabaron desapareciendo cuando se los tragó la pendiente.

21

Yo terminaba los deberes en una esquina de la mesa. Prothé, sumido en sus pensamientos, fregaba los platos. La radio difundía un discurso del nuevo presidente burundés, Cyprien Ntaryamira, un miembro del Frodebu elegido por el parlamento después de varios meses de vacío de poder.

Por la mañana había habido un asesinato en plena calle, no lejos de la escuela. Las clases de la tarde habían sido suspendidas. Desde mi regreso de Ruanda y el reinicio de las clases, no había vuelto a ver a mis amigos en el callejón. Cerré mis cuadernos y decidí darme una vuelta por casa de Gino para poner fin al malestar que flotaba entre nosotros, pero no estaba, así que me dirigí a casa de los gemelos. Los encontré con Armand tirados en el sofá, hipnotizados por una película de kung-fu. Me tumbé sobre la alfombra del salón. Las imágenes desfilaban ante mis ojos mientras dejaba vagar la mente. Debí de quedarme dormido bastante rato, porque cuando abrí los párpados los créditos de la película pasaban lentamente por la pantalla. Decidimos ir a nuestro escondite para jugar a cartas. Al abrir la puerta corredera de la Volkswagen Combi, encontramos allí a Gino y a Francis compartiendo un cigarrillo. Necesité un momento para entender lo que estaba viendo.

—¿Qué pinta él aquí? —pregunté, furioso.

—Cálmate. Le he propuesto a Francis que se una a la banda. Nos hará falta para proteger el callejón.

Francis, arrellanado en su asiento, relajado, como si estuviera en su casa, fumaba un cigarrillo por el lado de la brasa. Armand y los gemelos no reaccionaban. Entonces cerré la portezuela con todas mis fuerzas. Me sentía traicionado. Estaba saliendo del descampado, cuando Gino me alcanzó.

—¡Vuelve, Gaby! ¡No te vayas!

—¿A ti qué te pasa? —grité, empujándolo hacia atrás—. Él es nuestro peor enemigo y ¿tú quieres que forme parte del grupo?

—No lo conocía. Me equivoqué con él. No es lo que tú crees.

—¿Y lo que nos hizo en el río? ¿Lo has olvidado? ¡Quiso matarnos, el muy tarado!

—Lo lamenta, llamó a mi puerta unos días después para disculparse...

—¿Y tú le crees? ¿No ves que es otra más de sus tácticas? Como hizo en mi cumpleaños.

—No, no, Gaby, te equivocas. Es legal. He hablado mucho con él. No es un mal tipo, lo único, ya sabes, es que no ha tenido mucha suerte en la vida. También él perdió a su madre. En fin... Tú no puedes comprenderlo, tienes a la tuya, pero perder a la madre te vuelve a veces diferente, más duro y todo eso...

Gino bajó la cabeza y se puso a remover la tierra con la punta del zapato.

—Gino... quería decirte... Siento mucho lo de tu madre. Pero ¿por qué no me lo dijiste?

—No lo sé. Y además mi madre no está verdaderamente muerta, ¿sabes? Yo le hablo, le escribo cartas, a veces incluso la oigo. ¿Comprendes? Mi madre está... en alguna parte...

Yo tenía ganas de abrazarlo, de decirle palabras de consuelo, pero no sabía cómo hacerlo, no sabía qué decirle. Nunca lo he sabido. Me sentía muy cercano a él, no quería perder a Gino. Mi hermano, mi amigo, mi doble positivo. Él era lo que yo habría querido ser. Tenía la fuerza y el coraje que a mí me faltaban.

—Gino, ¿sigo siendo tu mejor amigo?

Él me miró a los ojos, luego se dirigió hacia un arbusto de acacia que estaba detrás de mí. Arrancó una espina y la chupó para quitarle el polvo antes de pincharse con ella la punta del dedo. Brotó una gota de sangre, como cuando te hacen la prueba del paludismo. Tomó uno de mis dedos y me clavó la espina hasta que sangré. A continuación, unió nuestros dedos por la herida.

—Ésta es mi respuesta a tu pregunta, Gaby. Ahora eres mi hermano de sangre. Te quiero más que a nadie.

Su voz temblaba ligeramente. Yo empecé a sentir un hormigueo en la garganta. Evitamos mirarnos, hubiéramos podido llorar. Regresamos a la Combi cogidos de la mano.

Francis estaba en plena conversación con los gemelos y con Armand. Éstos lo escuchaban con la misma atención que habían dedicado poco antes a la película de kung-fu. Francis contaba historias casi mejor que los gemelos, salpicando las frases con palabras inventadas, mezclando suajili, francés, inglés y kirundi.

Cuando fuera bajó el calor, le propusimos que viniera a refrescarse con nosotros al río.

—Si queréis bañaros, tengo algo mucho mejor que el Muha —dijo Francis—. ¡Seguidme!

En la carretera principal, paró un taxi blanco y azul. El taxista empezó a decir que no quería llevar a un montón de críos, pero Francis le puso un billete de mil bajo la nariz y el tipo arrancó de inmediato. No dábamos crédito, ¡un verdadero truco de magia! De golpe, nos sentíamos excitados por salir juntos del callejón.

—¿Adónde vamos? ¿Adónde vamos? ¿Adónde vamos? —repetían los gemelos.

—Es una sorpresa —respondía Francis, misterioso.

Un soplo de aire caliente se colaba en el coche. Armand llevaba un brazo fuera del taxi y hacía el avión con la mano contra el viento. La ciudad estaba animada, los alrededores del mercado bullían, la estación de autobuses era un caos de bicis y minibuses. Nadie diría que el país estaba en guerra. Árboles de mango cargados de frutos engalanaban la calle Prince Louis Rwagasore. Gino apretó el claxon del taxi cuando nos cruzamos con unos chavales del otro barrio, que estaban concentrados recogiendo mangos con sus largas varas. El taxi subió a la parte alta de la ciudad. El aire se volvió fresco. Dejamos atrás el mausoleo del príncipe Rwagasore, con su gran cruz y sus tres arcos de punta con los colores de la bandera nacional. Debajo se leía, en letras mayúsculas, el lema del país: «Unidad Trabajo Progreso.» Estábamos ya lo bastante arriba como para ver el horizonte. Buyumbura tiene la forma de una hamaca a la orilla del agua, como si fuera un balneario que se extiende entre la cima de las montañas y el lago Tanganica. Nos detuvimos delante del colegio Saint-Esprit, el gran transatlántico blanco que colgaba sobre la ciudad. Nunca habíamos subido tan arriba de Buyumbura. Francis le dio otros mil al taxista y le dijo que esperara allí.

Cuando entramos en el recinto del colegio, empezaron a caer unas gruesas gotas de agua caliente que formaban pequeños cráteres en el polvo y nos salpicaban las pantorrillas. Un olor a tierra mojada se levantó del suelo. A causa de la lluvia, los estudiantes corrían a refugiarse en las aulas y en los dormitorios. Muy pronto nos encontramos solos en aquel gran patio vacío. Seguimos a Francis por los senderos del jardín. Yo caminaba con la boca abierta y las gotas de lluvia me caían sobre la lengua y me refrescaban el paladar. Detrás de un murete descubrimos la piscina. Irreal. Una verdadera piscina olímpica, con su alto trampolín de hormigón para saltar desde allí. De inmediato, Francis se desnudó y se precipitó al agua. Gino le siguió los pasos. Luego nos desnudamos los demás, incluso el pudoroso Armand, y nos tiramos encogidos, con las rodillas pegadas al pecho. La lluvia caía a ráfagas furiosas contra la superficie del agua, atravesada en algún momento por un rayo de sol. Estábamos tan felices como en el primer día de un flechazo. En medio de un delirio de risas, nos agotamos haciendo largos y estúpidas carreras, tirándonos con las piernas para arriba, jugando a las ahogadillas. Francis se ponía en el borde de la piscina y se zambullía de espaldas. Los demás estaban impresionados, Gino el primero. Le brillaban los ojos ante tales proezas físicas, y yo sentía el aguijonazo de los celos.

—¿Eres capaz de hacer eso desde el trampolín? —preguntó Gino, rendido de admiración.

Una lluvia percutiente nos azotaba el rostro. Francis levantó la cabeza y luego respondió:

—¡Estás chiflado! ¡Por lo menos hay diez metros! Me voy a matar.

No lo dudé ni un segundo. Quería demostrarle a Gino que valía mucho más que Francis. Salí del agua y me dirigí con paso decidido hacia la alta escalera. Estaba resbaladiza y el final se perdía en la bruma. Durante la ascensión, el agua de la lluvia me corría por la cara y me impedía abrir los ojos. Me agarraba con todas mis fuerzas, rogando no resbalar. Los otros me miraban como si me hubiera vuelto loco. Una vez arriba, avancé hasta el borde del trampolín. Abajo, mis compañeros me miraban incrédulos. Sus pequeñas cabezas flotaban sobre el agua como pelotas. No sentía vértigo y aun así el corazón me empezó a latir de manera anormalmente rápida. Quería desandar el camino, pero me imaginaba la reacción de Francis, su risa burlona, sus sarcasmos sobre el niño de mamá que se acobarda. Y Gino, que se sentiría decepcionado y me dejaría de lado, acabaría por apartarse de mí, olvidaría nuestra amistad y nuestro pacto de sangre.

Desde lo alto del trampolín veía Buyumbura y la llanura inmensa, y las montañas inmemoriales de Zaire al otro lado de esa masa azul llamada lago Tanganica. Estaba desnudo encima de mi ciudad y la lluvia tropical se deslizaba sobre mí como una espesa cortina, acariciándome la piel. Los reflejos plateados del arcoíris flotaban en las nubes suaves. Oía las voces de mis amigos: «¡Vamos, Gaby! ¡Adelante, Gaby! ¡Adelante!» Y el miedo volvía. Ese miedo que siempre se había divertido paralizándome. Di la espalda a la piscina. Mis talones estaban ahora en el vacío. Me meé de miedo, el líquido amarillo se me enroscaba en la pierna como yedra. Para infundirme valor, lancé un gran grito de sioux en medio del ruido de cascada que producía el chaparrón. Entonces mis piernas se plegaron como un resorte y me impulsaron hacia atrás. Mi cuerpo rotó en el aire, el movimiento era perfecto, controlado por no sé qué fuerza misteriosa. Después, simplemente sentí que caía como un ridículo pelele. Ya no sabía dónde estaba cuando el agua me sorprendió y me acogió en sus brazos algodonosos, me envolvió como la fiebre con el calor de los remolinos y las cosquillas de las burbujas. Al llegar al fondo de la piscina, me tumbé sobre las baldosas para saborear mi hazaña.

Cuando emergí, ¡fue la locura! Mis amigos se lanzaron sobre mí, cantando «¡Gaby! ¡Gaby!», con la superficie del agua convertida en un tamtam. Gino me levantó el brazo como a un boxeador victorioso. Francis me besó en la frente. Sentía sus cuerpos escurridizos rozándome, apretándome, estrechándome. ¡Lo había hecho! Por segunda vez en mi vida había vencido aquel maldito miedo. Seguro que terminaría por despojarme de aquel grotesco caparazón.

El viejo conserje del colegio vino a echarnos de la piscina. Recogimos nuestra ropa empapada y corrimos hasta perder el aliento con el culo al aire y riéndonos. El taxista también soltó una larga carcajada cuando nos vio subir al vehículo, como Dios nos trajo al mundo. La noche había caído bajo la lluvia. El coche, con las luces largas, comenzó a descender lentamente los tortuosos caminos del barrio de Kiriri. Para ver la ciudad quitábamos el vaho de las ventanillas frotando con nuestros calzoncillos. Buyumbura era ahora una plantación de luces, un campo de luciérnagas que iluminaba la opacidad de la llanura. En la radio, Geoffrey Oryema cantaba *Makambo*; su voz era un instante de gracia, se deshacía en nuestras almas como un pedazo de azúcar, y eso calmaba nuestra felicidad desmesurada. Nunca nos habíamos sentido tan libres, tan vivos de la cabeza a los pies, con una sola voz, unidos entre nosotros por las mismas venas, irrigados por el mismo fluido voluptuoso. Lamentaba lo que había pensado sobre Francis. Él era como nosotros, como yo, un niño normal que hacía lo que podía en un mundo que no le daba opciones.

Un verdadero diluvio se abatía sobre Buyumbura. Las alcantarillas se desbordaban y el torrente arrastraba desde lo alto de la ciudad hasta el lago lodo y basura. Los limpiaparabrisas no servían para mucho y se esforzaban en vano sobre el cristal. En la noche oscura, las luces de los coches barrían el camino y coloreaban de amarillo y blanco las gotas de lluvia. Regresábamos al callejón, al punto de partida de aquella tarde loca.

Estábamos sobre el puente del Muha cuando el taxi se detuvo en seco. Nadie se lo esperaba, nos golpeamos unos contra otros al vernos proyectados hacia delante. La cabeza de Francis chocó contra el salpicadero. Al enderezarse, vimos que le caía un poco de sangre de la nariz. Cuando nos recuperamos, la actitud del taxista nos dejó helados. Estaba petrificado. Con las manos crispadas sobre el volante, aterrorizado y con los ojos clavados en el camino, repetía:

—*Sheitani! Sheitani! Sheitani!*

El diablo.

En la oscuridad, delante de nosotros, un poco más allá de la luz de los faros, vimos pasar la sombra de un caballo negro.

22

Aquella mañana del 7 de abril de 1994, el timbre del teléfono sonaba en vano. Papá no había regresado por la noche. Terminé por descolgar.

—¿Diga?

—¿Hola?

—¿Eres tú, mamá?

—Gaby, pásame a tu padre.

—No está.

—¿Qué?

Hizo una pausa. Oía su respiración.

—Ahora voy.

Como al día siguiente del golpe de Estado, no había nadie en la parcela. Ni Prothé, ni Donatien, ni siquiera el vigilante. Todo el mundo había desaparecido. Mamá llegó enseguida con su moto. Llevaba puesto el casco todavía cuando subió los escalones del porche de cuatro en cuatro para abrazarnos a Ana y a mí. Sus gestos eran febriles. Preparó té en la cocina y luego vino a sentarse al salón. Sujetaba la taza con las dos manos, soplando el vapor perfumado que emanaba de ella.

—¿Vuestro padre suele dejaros solos?

En el momento en que yo estaba respondiendo que no, Ana dijo que sí.

—La noche del golpe de Estado, papá no estaba aquí —soltó mi hermana, como si quisiera ajustar cuentas.

—¡Desgraciado! —escupió mamá.

Cuando papá llegó y entró en el salón, no dio los buenos días a nadie. Parecía totalmente sorprendido de encontrarse a mamá sentada en el sofá.

—¿Qué haces aquí, Yvonne?

—¿No te da vergüenza dejar a tus hijos solos toda la noche?

—Ah, ya veo... ¿Quieres que hablemos de ello? ¿De verdad? Tú abandonaste el domicilio conyugal. Sin duda no estás en la mejor posición para hacer reproches.

Mamá cerró los ojos. Bajó la cabeza. Se puso a sorber por la nariz, antes de limpiársela con la manga de la blusa. Papá la miraba con dureza, dispuesto a discutir. Cuando se volvió hacia nosotros, tenía los ojos enrojecidos por las lágrimas.

—Han asesinado al presidente de Burundi y al de Ruanda esta noche. El avión en el que iban ha sido abatido sobre Kigali —dijo.

Papá se dejó caer en el sillón. Aturdido.

—Jeanne y Pacifique no responden. Tía Eusébie tampoco. Necesito tu ayuda, Michel.

En Buyumbura, la situación era tranquila a pesar del anuncio del atentado y de la muerte del nuevo presidente. Papá contactó con los gendarmes de la embajada de Francia, mientras mamá intentaba deses-

159

peradamente comunicarse con su familia en Ruanda. Al final de la tarde, tía Eusébie por fin respondió. Papá seguía la conversación por el auricular del teléfono.

—Yvonne —exclamó tía Eusébie—. Yvonne, ¿eres tú? No, no estamos nada bien. Oímos la explosión del avión, ayer por la noche. Unos minutos después la radio anunció la muerte del presidente y acusó a los tutsis de ser los responsables del atentado. Han llamado a la población hutu a tomar las armas en represalia. He comprendido que ésa era la señal para eliminarnos. No han tardado en poner barreras por todas partes. Desde entonces, los milicianos y la guardia presidencial peinan la ciudad, hacen redadas en los barrios, entran en las casas de los tutsis y de los opositores hutus, asesinan a familias enteras, no perdonan a nadie. Han matado a nuestros vecinos y sus hijos esta mañana, al amanecer, justo ahí, detrás del seto. Dios mío, es espantoso... Hemos sido testigos de su agonía sin poder hacer nada. Estamos aterrorizados, tirados en el suelo en el interior de la casa. Se oyen disparos de metralleta por todas partes. ¿Qué puedo hacer yo, sola con mis cuatro hijos? Yvonne, ¿qué nos va a pasar? Y mi contacto en Naciones Unidas no responde. Tengo pocas esperanzas...

Sonaba jadeante. Mamá intentaba tranquilizarla como podía:

—¡No digas eso, Eusébie! Estoy con Michel, vamos a contactar con la embajada de Francia en Kigali. No te preocupes. Estoy segura de que Pacifique está ya de camino para ir a buscaros. Si puedes, intenta refugiarte en la Sainte Famille. Los asesinos no atacan las iglesias, recuerda los pogromos de 1963 y 1964, así fue como se sobrevivió, son santuarios que no se atreven a profanar...

—Imposible. El barrio está rodeado. No puedo arriesgarme a salir con los niños. Ya he tomado una decisión. Voy a rezar con ellos, luego los esconderé en el falso techo y a continuación iré a buscar ayuda. Pero prefiero despedirme de ti ahora. Es mejor así. En esta ocasión tenemos pocas posibilidades de salir de ésta. Nos odian demasiado. Quieren terminar con esto de una vez por todas. Hace treinta años que hablan de eliminarnos. Para ellos ésta es la hora de llevar a cabo su proyecto. No queda piedad en sus corazones. Ya estamos bajo tierra. Seremos los últimos tutsis. Después de nosotros, te lo ruego, cread un país nuevo. Tengo que dejarte. Adiós, hermana, adiós... Vivid por nosotros... Me llevo tu amor conmigo...

Cuando mamá colgó estaba petrificada, le castañeteaban los dientes, las manos le temblaban. Papá la abrazó para calmarla. Ella se recuperó enseguida y le pidió que marcara un número, luego otro y otro más...

Durante días y noches estuvieron pegados al teléfono, intentando comunicarse con Naciones Unidas y con las embajadas de Francia y de Bélgica.

—Sólo evacuamos a los occidentales —respondían sus interlocutores con frialdad.

—¡Y a sus perros y gatos! —les gritaba mamá como respuesta, fuera de sí.

Conforme pasaban las horas, los días, las semanas, las noticias que llegaban de Ruanda confirmaban lo que Pacifique había predicho unas semanas antes. En todo el país, los tutsis eran sistemática y metódicamente masacrados, liquidados, eliminados.

· · ·

Mamá ya no comía. Mamá ya no dormía. Por la noche abandonaba sigilosamente su cama. La oía descolgar el teléfono del salón y marcar por enésima vez los números de Jeanne y de tía Eusébie. Por la mañana me la encontraba dormida en el sofá, con el auricular pegado a la oreja y el tono de la línea sonando en el vacío.

Cada día crecía la lista de muertos; Ruanda se había convertido en un inmenso terreno de caza en el que las presas eran los tutsis. Un ser humano culpable de haber nacido, culpable de ser. Un insecto a los ojos de sus asesinos, una cucaracha que había que aplastar. Mamá se sentía impotente, inútil. A pesar de la determinación y la energía que desplegaba, no conseguía salvar a nadie. Asistía a la desaparición de su pueblo, de su familia, sin poder hacer nada. Perdía pie, se alejaba de nosotros y de ella misma. Estaba carcomida por dentro. Su rostro se marchitaba, tenía los ojos cercados por grandes bolsas, la frente surcada de arrugas.

Las cortinas de la casa estaban permanentemente echadas. Vivíamos en penumbra. La radio resonaba, ruidosa, en las grandes habitaciones oscuras, difundiendo gritos de angustia, llamadas de socorro, sufrimientos insoportables en medio de los resultados deportivos, de las cotizaciones de Bolsa y de la pequeña agitación política que hacía girar el mundo.

En Ruanda, aquella cosa que no era una guerra duró tres largos meses. Ya no recuerdo lo que hicimos durante ese período. No recuerdo la escuela, ni a mis compañeros, ni nuestra vida cotidiana. En casa éramos de nuevo cuatro, pero un inmenso agujero negro nos engulló, a nosotros y a nuestra memoria. De abril a julio de 1994 vivimos el genocidio que se perpetraba en Ruanda a distancia, entre cuatro paredes, al lado de un teléfono y de una radio.

Las primeras noticias llegaron a comienzos de junio. Pacifique llamó a casa de la abuela. Estaba vivo. No tenía noticias de nadie. Pero sabía que su ejército, el FPR, iba a apoderarse de Gitarama y creía que podría estar en casa de Jeanne esa misma semana. Esa información nos devolvió alguna esperanza. Mamá consiguió encontrar a algunos parientes lejanos y a unos pocos amigos. Sus relatos eran siempre terribles y su supervivencia tenía algo de milagroso.

El FPR ganaba terreno. Las fuerzas armadas ruandesas y el gobierno genocida estaban en desbandada, habían tenido que huir de la capital. El ejército francés había lanzado una vasta operación humanitaria, denominada «Operación Turquesa», para detener el genocidio y proteger a una parte del país. Mamá decía que aquél era el último golpe bajo de Francia, que acudía en ayuda de sus aliados hutus.

En julio, el FPR llegó por fin a Kigali. Mamá, la abuela y Rosalie partieron de inmediato hacia Ruanda en busca de tía Eusébie y de sus hijos, de Jeanne, de Pacifique, de la familia y los amigos. Regresaban a su país después de treinta años de exilio. Habían soñado con ese regreso, sobre todo la anciana Rosalie. Querían acabar sus días en la tierra de sus ancestros. Pero la Ruanda de leche y miel había desaparecido. Ahora era una fosa común a cielo abierto.

23

El curso escolar llegaba a su fin. En Buyumbura comenzaron las primeras partidas relacionadas con la
situación política del país. El padre de los gemelos
decidió regresar a Francia definitivamente. La noticia
cayó como un mazazo, de un día para otro. Nos despe-
dimos delante de su casa. Demasiado deprisa. Su coche
abandonó el callejón entre una nube de polvo. Entonces Francis tuvo la idea de tomar un taxi hasta el aeropuerto para decirles un último adiós. Llegamos justo
antes de que embarcaran. Nos abrazamos. Les hice
prometer que me escribirían. Ellos lo juraron:

—¡Por amor de Dios!

Los gemelos dejaron un vacío detrás de ellos. Los
primeros días, cuando nos reuníamos en la Volkswagen
Combi del descampado, sentíamos que a los chistes de
Armand les faltaban risas, y a nuestras tardes, histo-
rias. Su partida dejó sobre todo espacio para Francis.
Hablar, eso era lo único que sabíamos hacer ahora.
Nos quedábamos sentados en el asiento de la Combi
durante largas horas, escuchando una vieja casete de
Peter Tosh, fumando cigarrillos baratos y amorrados

a las botellas de cerveza y de Fanta que Francis nos compraba en el kiosco. Cuando yo proponía ir a pescar, darnos una vuelta por el río o ir a recoger mangos, mis amigos me mandaban a paseo; todo eso se había convertido en juegos de niños, ya se nos había pasado la edad.

—Hay que encontrar un nombre de verdad para la banda —dijo Gino.

—Pero ¡si ya tenemos uno! Los Kinanira Boyz.

Gino y Francis se echaron a reír como unos tontos.

—¡Ese nombre da pena!

—Te recuerdo que fuiste tú quien lo propuso, Gino —repliqué yo, molesto.

—De todos modos, no hay que hablar más de banda. Ahora se dice *gang* —dijo Francis—. Buja es una ciudad de *gangs*, como Los Ángeles o Nueva York. Hay una por barrio. En Bwiza están los «Sin Derrota»; en Ngagara, los «Sin Fracaso»; en Buyenzi, los «Seis Garajes»...

—Ajá, ajá, también están los «Chicago Bulls» y los «Sin Condón» —intervino Gino, como si empezara a rapear.

—Nosotros seremos la *gang* de Kinanira —sentenció Francis y dio una calada—. Dejadme que os explique cómo funciona esto. Las *gangs* están armadas y estructuradas, tienen su jerarquía. Levantan barricadas durante las jornadas de «ciudad muerta». Todo el mundo las respeta. Incluso los militares las dejan en paz.

—Chicos, ¿es que vamos a participar de verdad en las jornadas de ciudades muertas? —preguntó Armand.

—Hay que proteger el barrio —le respondió Gino.

—Con mi padre, si salgo de casa un día de «ciudad muerta», la ciudad no será la única que muera, colega —contestó Armand, sonriendo.

—No te preocupes, no vamos a levantar barricadas de inmediato —explicó Francis, que empezaba a considerarse nuestro jefe—. Simplemente quiero que estemos en buena relación con los «Sin Derrota», que bloquean el puente del Muha. Hay que demostrarles que estamos con ellos, echarles una mano de vez en cuando, así podremos seguir moviéndonos por el barrio sin problemas y ellos nos protegerán si es necesario.

—No quiero tener nada que ver con esos asesinos —dije yo—. Lo único que saben hacer es matar a pobres *boys* que regresan del trabajo.

—Ellos matan hutus, Gaby, ¡y los hutus nos matan a nosotros! —respondió Gino—. Ojo por ojo, diente por diente, ¿te suena? Así está escrito en la Biblia.

—¿La Biblia? ¡Nunca he oído hablar de ella! Lo que conozco es esa canción de ndombolo: «¡Ojo por ojo, cien por cien! ¡Cien por cien! ¡Oh! ¡Oh! ¡Oh!»

—¡Para, Armand! —le dije, irritado—. Esto no tiene gracia.

—¿Has visto lo que les han hecho a nuestras familias en Ruanda, Gaby? —prosiguió Gino—. Si no nos protegemos, nos matarán, como mataron a mi madre.

Francis soltaba anillos de humo por encima de nuestras cabezas. Armand dejó de hacer el payaso. Hubiera querido decirle a Gino que se equivocaba, que generalizaba, que si uno se vengaba cada vez, la guerra no tendría fin, pero me había afectado lo que él acababa de revelar sobre su madre. Me decía que su pena era más fuerte que su razón. El sufrimiento es un *joker* en el juego de la discusión, tumba los demás argumentos a su paso. En cierto sentido, es injusto.

—Gino tiene razón. ¡En la guerra, nadie puede ser neutral! —opinó Francis con unos aires de creerse no-sé-quién que me sacaban de quicio.

—Ya, tú puedes hablar porque eres zaireño —saltó Armand, partiéndose de risa.

—Ajá, soy zaireño, pero zaireño tutsi.

—¡Vaya, eso es otra cosa!

—Nos llaman los *banyamulenge*.

—De eso tampoco había oído hablar nunca —dijo Armand.

—¿Y si uno no quiere escoger bando? —pregunté yo.

—No tienes esa opción, todos estamos en un bando —replicó Gino con una sonrisa hostil.

Aquellas discusiones, aquella violencia que tanto fascinaba a Gino y a Francis, me aburrían. Decidí acudir lo menos posible a nuestro escondite. Incluso comencé a evitar a mis amigos y sus delirios guerreros. Necesitaba respirar, refrescar las ideas. Por primera vez en mi vida me sentía atrapado en el callejón, confinado en aquel espacio en el que mis preocupaciones daban vueltas en círculo.

Una tarde me crucé por casualidad con la señora Economopoulos delante de su cerca de buganvillas. Intercambiamos unas palabras sobre la estación de lluvias y el buen tiempo, luego ella me invitó a entrar en su casa y me ofreció un vaso de zumo. En su gran salón, mi mirada se sintió atraída de inmediato por la biblioteca de obra que cubría por entero una de las paredes. Nunca había visto tantos libros juntos. Del suelo al techo.

—¿Ha leído usted todos esos libros? —le pregunté.

—Sí. Algunos incluso varias veces. Ellos son los grandes amores de mi vida. Me hacen reír, llorar, dudar, reflexionar. Me permiten evadirme. Me han cambiado, han hecho de mí otra persona.

—¿Un libro puede cambiarnos?

—Por supuesto, ¡un libro puede cambiarte! E incluso cambiar tu vida. Como un flechazo. Y nunca se sabe cuándo tendrá lugar ese encuentro. No hay que fiarse de los libros, son genios dormidos.

Mis dedos recorrían los estantes, acariciaban las tapas, sus texturas tan diferentes unas de otras. Recitaba en silencio los títulos que leía. La señora Economopoulos me observaba sin decir nada, pero cuando me detuve ante un libro en particular, intrigado por su título, me animó:

—Llévatelo, estoy segura de que va a gustarte.

Aquella noche, antes de irme a la cama, cogí una linterna de uno de los cajones del escritorio de papá y debajo de la sábana comencé a leer la novela, la historia de un viejo pescador, de un muchachito, de un gran pez y de una manada de tiburones... Conforme leía, mi cama se transformaba en bote, oía el chapoteo de las olas golpeando contra el borde del colchón, olía la brisa marina y sentía el viento que empujaba la vela de mi sábana.

Al día siguiente le devolví el libro a la señora Economopoulos.

—¿Ya lo has terminado? ¡Muy bien, Gabriel! Voy a prestarte otro.

Esa noche oí el ruido de los aceros que se cruzaban, el galope de los caballos, el roce de las capas de los caballeros, el frufrú del vestido de encaje de una princesa.

Otro día me encontré en un cuarto diminuto, escondido con una adolescente y su familia en una ciudad en guerra y en ruinas. La chica me dejaba leer por encima de su hombro los pensamientos que vertía en su diario. Hablaba de sus miedos, de sus sueños, de sus amores, de su vida anterior. Sentía que hablaba de mí, que yo habría podido escribir esas líneas.

Cada vez que le devolvía un libro, la señora Economopoulos quería saber qué me había parecido. Yo me preguntaba de qué le serviría saberlo. Al principio le contaba brevemente el argumento, algunas acciones significativas, los nombres de los lugares y de los protagonistas. Veía que ella estaba contenta y, sobre todo, yo tenía ganas de que me prestara otro libro para irme a mi habitación a devorarlo.

Pero luego empecé a decirle lo que sentía, las preguntas que me hacía, mi opinión sobre el autor o los personajes. De esa manera seguía saboreando el libro, prolongaba la historia. Tomé la costumbre de visitarla todas las tardes. Gracias a las lecturas, derribé los límites del callejón, respiré de nuevo, el mundo se extendía a lo lejos, más allá de las vallas que nos encerraban en nosotros mismos con nuestros miedos. Ya no iba al escondite, ya no tenía ganas de ver a mis amigos, de oírlos hablar de la guerra, de ciudades muertas, de hutus y tutsis. Me sentaba con la señora Economopoulos en su jardín, bajo un jacarandá. Ella servía té y bizcochos calientes en la mesa de hierro forjado. Hablábamos durante horas de los libros que me ponía en las manos. Descubrí que podía hablar de infinidad de cosas que estaban escondidas dentro de mí y cuya existencia ignoraba. En aquel rincón frondoso, aprendí a identificar mis gustos, mis deseos, mi manera de ver y de sentir el universo. La señora Economopoulos me hacía tener confianza en mí, nunca me juzgaba, tenía el don de saber escuchar y de calmarme. Después de la conversación, cuando la tarde se desvanecía en la luz de poniente, paseábamos por el jardín como una pareja extraña. Tenía la impresión de avanzar bajo la bóveda de una iglesia, el canto de los pájaros era un susurro de plegarias. Nos deteníamos delante de sus orquídeas salvajes, nos adentrábamos entre setos de hibiscos y brotes de ficus. Sus parterres de flores eran festines suntuosos para los pájaros suimangas y las abejas del barrio. Yo recogía hojas secas al pie de los árboles para hacer con ellas puntos de libro. Caminábamos lentamente, casi al ralentí, arrastrando los pies sobre la hierba abundante, como si quisiéramos retener el tiempo, mientras que el callejón, poco a poco, se cubría de noche.

24

Mamá regresó de Ruanda el día que comenzaban las clases. Fue al día siguiente de una jornada de «ciudad muerta». El camino a la escuela estaba sembrado de carrocerías de coches calcinados, bloques de piedra sobre la calzada, neumáticos derretidos o todavía humeantes. Cuando veía un cuerpo en la cuneta de la carretera, papá nos ordenaba apartar la vista.

El director de la escuela, acompañado por gendarmes de la embajada francesa, nos reunió en el gran patio para explicarnos las nuevas recomendaciones de seguridad. El cercado de buganvillas que rodeaba la escuela había sido sustituido por un muro alto de ladrillo que nos protegía de las balas perdidas que a veces entraban en las aulas.

Una profunda ansiedad se había abatido sobre la ciudad. Los adultos sentían la inminencia de nuevos peligros. Temían que la situación degenerase, como en Ruanda. Así que nos encerramos cada vez más, y esa época de violencia dio lugar a un aumento de las rejas, los vigilantes, las alarmas, las barreras, los portones, las alambradas. Toda una parafernalia tranquilizadora para persuadirnos de que podíamos evitar la violencia, mantenerla a distancia. Se vivía en esa extraña atmósfera, que no era ni de paz ni de guerra. Los valores a los que estábamos habituados ya no estaban vigentes. La inseguridad se había convertido en una situación tan banal como el hambre, la sed o el calor. La furia y la sangre acompañaban nuestras acciones cotidianas.

Un día, a la hora punta, asistí al linchamiento de un hombre delante de la central de Correos. Papá estaba en el coche. Me había enviado a recoger la correspondencia de nuestro buzón. Yo cruzaba los dedos para tener noticias de Laure. Tres jóvenes que iban delante de mí atacaron de súbito a un hombre, sin razón aparente. A pedradas. Desde la esquina de la calle, dos policías miraban la escena sin moverse. Los peatones se detuvieron un momento, como para disfrutar del espectáculo gratuito. Uno de los tres agresores fue a buscar una gran piedra que estaba debajo del franchipán, sobre la que los vendedores de cigarrillos y de chicles tenían la costumbre de sentarse. El hombre estaba intentando levantarse cuando el pedrusco le reventó la cabeza. Se derrumbó cuan largo era sobre el asfalto. Su pecho se hinchó tres veces bajo su camisa. Rápidamente. Buscaba aire. Luego, nada. Los agresores se fueron tan tranquilamente como habían llegado, y los peatones continuaron su camino, evitando el cadáver como se rodea un cono de tráfico. La ciudad entera se agitaba, proseguía con sus actividades, con sus compras, con su trajín. La circulación era densa, sonaban los cláxones de los minibuses, los vendedores ambulantes ofrecían bolsitas de agua y de cacahuetes, los enamorados esperaban encontrar cartas de amor en sus buzones, un niño compraba rosas blancas para su madre enferma, una mujer vendía latas de concentrado de tomate, un adolescente salía del peluquero con un corte a la moda y, desde hacía algún tiempo, unos hombres asesinaban a otros con total impunidad, bajo el mismo sol de mediodía de antaño.

Estábamos a la mesa cuando vimos que entraba en la parcela el Range Rover de Jacques. Mamá se bajó del coche. Hacía dos meses que no teníamos noticias de ella. Estaba irreconocible. Había adelgazado. Llevaba un pareo atado de cualquier manera a la cintura, flotaba dentro de una camisa parduzca y sus pies desnudos estaban cubiertos de mugre. Ya no era la joven de ciudad elegante y refinada que conocíamos; parecía una campesina embarrada, de regreso de su huerta de habichuelas. Ana se lanzó escalones abajo y saltó a sus brazos. Mamá se tambaleaba y a punto estuvo de caer de espaldas.

Observé sus rasgos tensos, los ojos amarillentos y ojerosos, la piel marchita. El cuello abierto de su camisa dejaba entrever erupciones sobre su cuerpo. Se había convertido en una anciana.

—Encontré a Yvonne en Bukavu —dijo Jacques—. Iba camino de Buja y di con ella casualmente, a la salida de la ciudad.

Jacques no se atrevía a mirarla. Como si ella le repugnara. Hablaba para mitigar su incomodidad, al tiempo que se llenaba el vaso de whisky. El calor hacía aparecer gruesas gotas de sudor en su frente. Se secaba la cara con un pañuelo grueso de tela.

—En circunstancias normales, Bukavu es un auténtico desastre, pero ahora no creerías lo que ven tus ojos, Michel, ahora es algo que está más allá de lo imaginable. Un vertedero humano. Puestos miserables en cada centímetro cuadrado. ¡Cien mil refugiados por las calles! Es asfixiante. No hay un pedazo de acera libre. Y el éxodo continúa, cada día llegan miles de personas. Una verdadera hemorragia. Ruanda se nos desangra encima; dos millones de mujeres, niños, ancianos, cabras, paramilitares de Interahamwe, oficiales del antiguo ejército, ministros, banqueros, curas, lisiados, inocentes, culpables, todo lo que se te ocurra... Cuanto la humanidad tiene de gente normal y de grandes cabrones. Han dejado atrás perros carroñeros, vacas mutiladas y un millón de muertos sobre las colinas, para venir a nuestro hogar con hambre y cólera. ¡Me pregunto cómo va a salir Kivu de esta mierda!

Prothé estaba sirviéndole a mamá puré de patatas y carne de buey, cuando Ana le hizo la pregunta que nos preocupaba a todos:

—¿Has encontrado a tía Eusébie y a los primos?

Ella negó con la cabeza. Estábamos pendientes de sus palabras. No dijo nada. Quise preguntarle lo mismo sobre Pacifique, pero papá me hizo una seña con la mano para que esperase un momento. Mamá masticaba la comida poco a poco, como una anciana enferma. Con gesto fatigado, cogía el vaso de agua y bebía a sorbitos. Amasaba las migas del pan, hacía con ellas bolitas que colocaba metódicamente delante de su plato. No nos miraba, estaba concentrada en la comida. Cuando eructó ruidosamente, todos la miramos, incluso Prothé, que había empezado a recoger la mesa. Ella bebió un trago de agua, como si nada, después de tragarse un pedazo de pan. Aquella pinta, aquella actitud, no podía ser ella... Papá quería hablar con ella, pero no sabía cómo hacerlo sin apremiarla. Al final no fue necesario que hiciera nada. Mamá se puso a hablar por sí sola, con una voz tranquila y pausada, como cuando me contaba leyendas de pequeño para que me durmiera:

—Llegué a Kigali el 5 de julio. La ciudad acababa de ser liberada por el FPR. A lo largo del camino, una fila interminable de cadáveres yacía en el suelo. Se oían disparos esporádicos. Los militares del FPR mataban a las jaurías de perros que se alimentaban de carne humana desde hacía tres meses. Los supervivientes vagaban por las calles con la mirada perdida. Llegué ante el portón de tía Eusébie. Estaba abierto. Cuando entré en la parcela, quise dar media vuelta a causa del olor. De todas formas, me esforcé para continuar. Había tres niñas tiradas en el suelo del salón. Encontré el cuarto cuerpo, el de Christian, en el pasillo. Lo reconocí porque llevaba una camiseta del equipo de fútbol de Camerún. Busqué a tía Eusébie por todas partes. Ni rastro. En el barrio nadie podía ayudarme. Estaba sola. Tuve que enterrar yo misma a los niños en el jardín. Me quedé una semana en la casa. Me decía que tía Eusébie acabaría por regresar. Como veía que no volvía, decidí partir en busca de Pacifique. Sabía que lo primero que haría sería ir a Gitarama al encuentro de Jeanne. Cuando llegué, la casa había sido asaltada y no había rastro de Jeanne ni de su familia. Al día siguiente, un soldado del FPR me contó que Pacifique estaba en prisión. Me dirigí allí, pero no me dejaron verlo. Volví los tres días siguientes. La mañana del cuarto, uno de los guardias me llevó hasta un campo de fútbol, detrás de la prisión, al borde de un platanar. Había soldados del FPR vigilando el lugar. Pacifique estaba tirado sobre la hierba. Acababa de ser fusilado. El guardia me contó que al llegar a Gitarama, Pacifique había encontrado a su mujer y a toda su familia asesinados en el patio de la casa. Los vecinos tutsis que habían escapado de la masacre acusaban del crimen a un grupo de hutus que permanecía en la ciudad. Pacifique los encontró en la plaza central. Uno de ellos llevaba puesto el sombrero del padre de Jeanne. Una mujer del grupo, el vestido de flores que Pacifique le había regalado a su mujer para los esponsales. Mi hermano sintió que enloquecía. Vació el cargador de su arma contra aquellas cuatro personas. Inmediatamente fue llevado ante una corte marcial y condenado a muerte. Cuando encontré a la abuela y a Rosalie en Butare, les mentí. Les dije que cayó en combate, por su país, por nosotros, por nuestro regreso. Ellas no habrían aceptado la idea de que lo hubieran matado los suyos. Una conocida que regresaba de Zaire nos dijo que le había parecido reconocer a tía Eusébie en un campamento, cerca de Bukavu. Así que emprendí camino y la busqué durante un mes. Caminé cada vez más lejos. Deambulé por los campamentos de refugiados. Estuve a punto de que me mataran decenas de veces, cuando adivinaban que era tutsi. Por no sé qué milagro, Jacques me reconoció al borde de la carretera; ya había perdido toda esperanza de encontrar a tía Eusébie.

Mamá calló. Papá tenía los ojos cerrados y la cabeza echada hacia atrás; Ana sollozaba en sus brazos. Jacques volvió a servirse un gran vaso de whisky y masculló:

—¡África, qué desastre!

Corrí a encerrarme en mi habitación.

25

De tanto caminar por el callejón sin zapatos, se me metió una pulga nigua en la planta del pie. Prothé trajo un pequeño taburete sobre el que apoyé el talón mientras Donatien quemaba la punta de una aguja con un mechero:

—No irás a llorar, ¿no, Gaby? —preguntó Donatien.

—¡No, el señor Gabriel es ya un hombre! —dijo Prothé, burlándose afectuosamente de mí.

—¡Con cuidado, Donatien! —grité al ver que se acercaba con la aguja incandescente.

Extrajo la larva a la primera. El dolor era intenso, pero soportable.

—¡Mira el tamaño que tiene este bicho! Voy a ponerte un poco de desinfectante y luego me prometes que no volverás a andar descalzo. ¡Ni siquiera en casa!

Donatien me aplicó un antiséptico y Prothé se aseguró de que no tuviera más pulgas. Yo miraba a aquellos dos hombres que se ocupaban de mí con la ternura de una madre. La guerra arrasaba sus barrios, pero ellos venían casi todos los días al trabajo y nunca dejaban entrever sus miedos o sus angustias.

—¿Es cierto que el ejército ha matado gente donde vivís, en Kamenge? —pregunté.

Donatien volvió a posar mi pie sobre el taburete, con delicadeza. Prothé se sentó a su lado, cruzó los brazos y observó a los milanos negros que daban vueltas en el cielo. Donatien empezó a hablar en voz baja.

—Sí, eso es lo que está pasando. Kamenge es el centro de toda la violencia de esta ciudad. Cada noche dormimos sobre las brasas mientras vemos cómo las llamas se elevan por encima del país, llamas tan altas que ocultan las estrellas que tanto nos gusta contemplar. Y cuando llega la mañana, uno se asombra de estar todavía ahí, de oír cantar el gallo, de ver la luz sobre las colinas. Todavía no era un hombre cuando abandoné el Zaire de mis padres para huir de nuestro miserable pueblo. Encontré mi rincón de felicidad en Buyumbura, que se convirtió en mi ciudad. He vivido mis mejores años en Kamenge, sin darme cuenta, porque siempre estaba pensando en el día de mañana, esperando que fuera mejor que ayer. La dicha sólo se ve en el retrovisor. ¿El día de mañana? Míralo. Aquí está. Masacrando las esperanzas, borrando el horizonte, destruyendo los sueños. He rezado por nosotros, Gaby, he rezado tantas veces como he podido. Cuanto más rezaba, más nos abandonaba Dios y más fe tenía yo en su fuerza. Dios nos pone a prueba para que le demostremos que no dudamos de él. Parece querer decirnos que el amor verdadero se basa en la confianza. No hay que dudar de la belleza de las cosas, ni siquiera bajo un cielo torturador. Si no te asombran el canto del gallo o la primera luz por encima de las cumbres, si no crees en la bondad de tu alma, entonces dejas de combatir y es como si estuvieras ya muerto.

—Mañana saldrá el sol y lo seguiremos intentando —concluyó Prothé.

Los tres estábamos en silencio, perdidos en nuestros sombríos pensamientos, cuando llegó Gino.

—¡Gaby, muévete! Tengo que enseñarte algo.

Estaba febril. Me arrancó del taburete y echó a correr delante de mí. Lo seguí renqueando, sin hacerle preguntas. Recorrí el callejón tan rápido como pude y llegué a su casa sin aliento. Francis y Armand estaban sentados a la mesa de la cocina. Gino fue hasta la nevera. Se oía el golpeteo de la máquina de escribir de su padre en el salón.

—Venga, abrid el congelador —dijo Gino, mirándonos a Armand y a mí.

Francis estaba en el ajo, eso estaba claro, miraba a Gino con un aire cómplice que me hizo temer lo peor. Armand abrió el congelador. De entrada, no comprendí lo que era. Cogí uno de los dos objetos que había dentro.

—¡Mierda! ¡Una granada!

La solté inmediatamente, cerré la puerta y retrocedí hasta el fondo del cuarto.

—¿Cuánto creéis que hemos pagado por esas dos granadas? —preguntó Gino, excitado, antes de proseguir sin esperar nuestra respuesta—: ¡Cinco mil! Francis conocía al tipo de los «Sin Derrota». Le ha

180

explicado que nosotros también nos encargamos de nuestro barrio y nos ha hecho un buen precio. Normalmente cuestan el doble.

—Pero ¡joder, Gino, has metido unas malditas granadas en tu frigorífico! —dijo Armand—. Te has vuelto completamente loco, te lo juro.

—¿Qué problema tienes? —le preguntó Francis, agarrándolo por el cuello de la camisa.

—¡Menuda panda de tarados! —insistió Armand, aterrorizado—. ¿Habéis comprado unas granadas para guardarlas al lado del filete de ternera congelado y me preguntas si yo tengo un problema?

—Cierra el pico, Armand, mi padre podría oírnos. Vamos al escondite.

Gino sacó las granadas del congelador, las metió en una bolsa de plástico y nos largamos a la Volkswagen Combi. Una vez dentro de los restos de la furgoneta, Francis sacó los dos explosivos para esconderlos en el cajón de debajo del asiento de atrás. Al levantarlo, vi un telescopio.

—¿Qué hace eso ahí? —le pregunté a Francis.

—Tengo un comprador. Con el dinero, podremos ahorrar para un Kaláshnikov. En el mercado de Jabe los venden de saldo.

—¿Un Kaláshnikov? —repitió Armand—. ¿Y por qué no una bomba atómica iraní?

—Ya he visto ese telescopio, es el de la señora Economopoulos. ¿Se lo has robado?

—No jodas, Gaby —dijo Francis—. A quién le importa esa vieja pelleja. Ni siquiera se debe de haber dado cuenta, con todos los cacharros que amontona en su casucha.

—¡Devuélveselo enseguida! —dije yo—. Es una amiga y no quiero que le roben.

—Déjate de sentimentalismos —me espetó entonces Gino—. Bien que robaste los mangos de su jardín para revendérselos. Tú también se la has jugado a la griega.

—¡Eso era antes! Y además, no es lo mismo unos mangos que...

Quise coger el telescopio, pero Gino me empujó hacia atrás. Cuando volví a la carga, Francis me sujetó por la espalda y me hizo una llave en el brazo.

—¡Suéltame! De todos modos, ya no quiero seguir con vosotros. ¿Qué te pasa, Gino? No te reconozco. ¿Te das cuenta de lo que haces? ¿En lo que te estás convirtiendo?

Me temblaba la voz, lloraba de rabia. Gino respondió irritado:

—Gaby, esto es la guerra. Protegemos nuestro callejón. Si no lo hacemos, nos matarán. ¿Cuándo vas a entenderlo? ¿En qué mundo vives?

—Pero si no somos más que un grupo de niños. Nadie nos ha pedido que luchemos, que robemos, que tengamos enemigos.

—Nuestros enemigos están ya ahí. Son los hutus y esa banda de salvajes no vacila a la hora de matar niños. Mira lo que les hicieron a tus primos de Ruanda. No estamos a salvo. Tenemos que aprender a defendernos y a responder. ¿Qué harás cuando entren en el callejón? ¿Les regalarás mangos?

—No soy hutu ni tutsi —le respondí—. Eso no me importa. Sois mis amigos porque os quiero, no porque seáis de una etnia u otra. ¡Eso me da igual!

Mientras discutíamos, a lo lejos, en las colinas, se oían los disparos de los blindados AMX-10. Con el tiempo, había aprendido a reconocer sus notas en la melodía guerrera que nos rodeaba. Algunas noches, el sonido de las armas se confundía con el canto de los pájaros o con la llamada del muecín, y, olvidándome completamente de quién era, aquel extraño universo sonoro llegaba a parecerme hermoso.

26

Mamá vivía en casa desde su regreso. Dormía en nuestra habitación, sobre un colchón al pie de mi cama, y se pasaba el día en el porche, mirando al vacío. No quería ver a nadie y no tenía fuerzas para volver al trabajo. Papá decía que necesitaba tiempo para recuperarse de todo lo que había pasado.

Por la mañana se levantaba tarde. Oíamos correr el agua durante horas en el cuarto de baño. A continuación se iba al sofá de la terraza y se quedaba allí sentada, inmóvil, mirando fijamente un avispero construido en el techo. Si alguien pasaba por allí, mamá le pedía una cerveza. Se negaba a comer con nosotros. Ana le preparaba un plato que le dejaba delante, sobre un taburete. Mamá no comía, picoteaba. Cuando caía la noche, se quedaba sola en la terraza, en la oscuridad. Se acostaba tarde, cuando ya hacía rato que los demás dormíamos. Terminé por aceptar su estado, por dejar de buscar en ella a la madre que había tenido. El genocidio es una marea negra: quienes no se ahogan van cubiertos de petróleo durante toda la vida.

A veces, cuando regresaba de casa de la señora Economopoulos con mi pila de libros bajo el brazo, me sentaba al lado de mamá para leerle. Intentaba buscar historias no demasiado alegres, para no recordarle la vida que habíamos perdido, ni demasiado tristes, para no remover su pena, esa ciénaga de inmundicias que tenía estancada dentro. Cuando cerraba el libro, ella me dirigía una mirada ausente. Me había convertido en un extraño. Entonces, yo huía de la terraza, asustado por el vacío que había en el fondo de sus ojos.

Una noche, muy tarde, cuando entró en nuestra habitación, me despertó al golpearse un pie contra una silla. Vi su sombra tambalearse en la oscuridad. Luego buscó tanteando el lado de Ana. Al llegar al borde de la cama, se inclinó sobre mi hermana.

—¿Ana? —susurró.

—Sí, mamá.

—¿Duermes, mi cielo?

—Sí, dormía...

Mamá tenía la voz pastosa de una borracha.

—Te quiero, mi niña, ¿lo sabes?

—Sí, mamá. Yo también te quiero.

—Cuando estaba allí, pensaba en ti. He pensado mucho en ti, corazoncito.

—Yo también he pensado en ti, mamá.

—¿Y en tus primas, has pensado en ellas? Tus simpáticas primas, con las que te divertías.

—Sí, pensaba en ellas.

—Eso está bien, está bien...—Luego, tras un corto silencio, añadió—: ¿Te acuerdas de tus primas?

—Sí.

—Cuando llegué a casa de tía Eusébie, fue a ellas a las que vi primero. Tiradas en el suelo del salón. Desde hacía tres meses. ¿Sabes a lo que se parece un cuerpo al cabo de tres meses, mi niña?

—...

—A nada. Está todo podrido. Quise levantarlas, pero no podía, se me escurrían entre los dedos. Las recogí. Pedazo a pedazo. Ahora están en el jardín donde os gustaba jugar. Al pie del árbol, ese que tiene el columpio. ¿Te acuerdas? Respóndeme. Dime que te acuerdas. Dímelo.

—Sí, me acuerdo.

—Pero en la casa seguían estando aquellas cuatro manchas en el suelo. Grandes manchas justo donde habían permanecido durante tres meses. Froté con agua y una esponja, froté, froté, froté. Pero las manchas no salían. No había suficiente agua. Tenía que buscar más en el barrio. Así que busqué en las casas. Nunca debí entrar en aquellas casas. Hay cosas que no deberían verse nunca en la vida. Yo tuve que hacerlo, por un poco de agua. Cuando terminaba de llenar el cubo, regresaba y seguía frotando. Arañaba el suelo con las uñas, pero su piel y su sangre habían penetrado en el cemento. Yo llevaba su olor encima. Ese olor que nunca me abandonará. Por mucho que me lave sigo sucia, huelo a su muerte, siempre. Y esas tres manchas del salón eran Christelle, Christiane y Christine. Y la mancha del pasillo era Christian. Y yo debía borrar sus huellas antes de que tía Eusébie regresara. Porque, ¿sabes, mi tesoro?, una mamá no debe ver la sangre de sus hijos en su casa. Así que frotaba y frotaba aquellas manchas que nunca saldrán. Se quedaron en el cemento, en la piedra, ellas son... Te quiero, mi amor...

Y mamá, inclinada sobre Ana, siguió contando aquella espantosa historia con un largo susurro jadeante. Me tapé la cabeza con la almohada. No quería saber. No quería escuchar nada. Quería meterme en un agujero de ratón, refugiarme en una madriguera, protegerme del mundo al final de mi callejón, perderme entre recuerdos hermosos, habitar en tiernas novelas, vivir dentro de los libros.

A la mañana siguiente, los primeros rayos del sol chocaron contra las baldosas. Aún no eran las seis de la mañana y el calor era ya terrible, algo que anunciaba una fuerte tormenta durante el día. Abrí los ojos. Mamá respiraba ruidosamente, tendida sobre el colchón de Ana, con los pies fuera de la cama, vestida con su pareo desteñido y su camisa parduzca. Sacudí a mi hermana para despertarla. Estaba agotada. Nos preparamos como pudimos para ir a la escuela. En silencio. Hice como si no hubiera oído nada durante la noche. Mamá seguía durmiendo cuando papá nos llevó a la escuela.

A mi regreso la encontré en el porche. Con la mirada clavada en el avispero. Tenía los ojos enrojecidos y el cabello revuelto. Las burbujas subían en el vaso de cerveza que tenía sobre el taburete, delante de ella. La saludé aunque esperaba una respuesta.

Cenamos antes de lo habitual. El cielo se veía amenazador. El aire estaba saturado de humedad. Hacía un calor insoportable. Papá y yo íbamos sin camiseta. En la mesa, con la sopa a un lado, me dedicaba a aplastar mosquitos llenos de sangre. Se oía cómo pasaban los murciélagos por encima de la casa. Abandonaban las ceibas algodoneras del centro de la ciudad para hacer una incursión nocturna entre los papayos que bordeaban el lago Tanganica. Ana cabeceaba, dormida en su silla, agotada por su corta noche de sueño. Más allá de la puerta de cristal del salón, en la oscuridad, distinguía la lúgubre silueta de mamá, inmóvil, sentada en el sofá de la terraza.

—Gaby, ve a encender el fluorescente de fuera —me pidió papá.

Los pequeños detalles que él tenía a veces con mamá eran un bálsamo para mi corazón. La seguía amando. Apreté el interruptor, la luz parpadeó rápidamente y luego apareció el rostro de ella. Inexpresivo.

La tormenta estalló durante la noche, una lluvia torrencial que crepitaba sobre el tejado de chapa. El camino agrietado del callejón se transformó en una charca gigante. El agua desbordaba los desagües y las alcantarillas. Los relámpagos desgarraban el cielo, iluminaban nuestra habitación, dibujaban la forma de mamá sobre la cama de Ana. Había vuelto a despertarla para contarle otra vez la historia de las manchas en el suelo. Su voz sonaba siniestra. Cavernosa. Los efluvios de alcohol que despedía su aliento atravesaban el cuarto y llegaban hasta mí. Cuando Ana no respondía a sus preguntas, mamá la sacudía violentamente y se disculpaba luego balbuceándole palabras tiernas al oído. Fuera, un ejército de termitas voladoras había salido de la tierra y se agitaba histéricamente alrededor de los fluorescentes blancos.

Nosotros vivimos. Ellos están muertos. Mamá no soportaba esa idea. Estaba menos loca que el mundo que nos rodeaba. No estaba enfadado con ella, pero me preocupaba Ana. Cada noche, mamá le pedía que recorriera con ella los parajes de sus pesadillas. Tenía que salvar a mi hermana, tenía que salvarnos. Quería que mamá se fuera, que nos dejara en paz, que nos liberara de los horrores que había vivido para permitirnos seguir soñando, seguir confiando en la vida. No comprendía por qué nosotros también teníamos que sufrir.

Fui a ver a papá y se lo conté. Mentí, exageré la brutalidad de mamá para hacerlo reaccionar. Estaba fuera de sí, enfurecido, cuando fue a pedirle explicaciones. La disputa degeneró. Mamá recuperó un vigor que creíamos que había perdido. Se transformó en una furia, con espumarajos en la comisura de los labios y los ojos desorbitados. Decía cosas delirantes, nos insultaba en todas las lenguas, acusaba a los franceses de ser los responsables del genocidio. Se precipitó sobre Ana, la agarró del brazo y se puso a sacudirla como a una palmera.

—¡Tú no quieres a tu madre! ¡Prefieres a esos dos franceses, los asesinos de tu familia!

Papá intentó arrancar a Ana de sus garras. Mi hermana estaba aterrorizada. Las uñas de mamá se clavaban en la carne y le desgarraban la piel.

—¡Ayúdame, Gaby! —gritó papá.

Pero yo no me moví, estaba petrificado. Papá soltó uno a uno los dedos de mamá. Cuando logró que liberara su presa, ella se volvió, cogió un cenicero de la mesa de centro y se lo tiró a Ana. Le abrió una ceja y comenzó a correrle la sangre por la cara. Hubo un momento de vacilación, de confusión. Luego papá montó a Ana en el coche y se la llevó a urgencias. Por mi parte, me escabullí y corrí a refugiarme en la Combi, donde esperé a que se hiciera de noche antes de regresar a casa. Cuando volví, mamá no estaba, había desaparecido. Papá y Jacques pasaron días recorriendo la ciudad en su busca, llamando a la familia, a los amigos, a los hospitales, a las comisarías y a las morgues. En vano. Me sentía culpable por haber querido que se fuera. Era un cobarde, además de un egoísta. Convertí mi felicidad en una fortaleza, y mi ingenuidad, en una capilla. Deseaba que la vida me dejara intacto, mientras que mamá, poniendo en riesgo la suya, había ido a buscar a sus familiares hasta las puertas del infierno. Habría hecho lo mismo por Ana y por mí. Sin dudarlo. Yo lo sabía. La quería. Y ahora que había desaparecido llevándose sus heridas, nos dejaba a nosotros con las nuestras.

27

Querido Christian:

Te esperaba para las vacaciones de Pascua. Tu cama estaba lista al lado de la mía. Encima de ella colgué algunas fotos de futbolistas. Dejé espacio en el armario para que pudieras poner tu ropa y el balón. Estaba listo para recibirte.

No vendrás.

Hay muchas cosas que no tuve tiempo de decirte. Me doy cuenta, por ejemplo, de que nunca te hablé de Laure. Es mi novia. Ella todavía no lo sabe. Tengo previsto pedirle que se case conmigo. Muy pronto. Cuando haya paz. Con Laure hablo por carta. Cartas enviadas por avión. Cigüeñas de papel que viajan entre África y Europa. Es la primera vez que me enamoro de una chica. Es una sensación rara. Como una fiebre en el vientre. No me atrevo a hablar de ello con mis amigos, se burlarían de mí. Dirían que amo a un fantasma. Porque todavía no he visto a esa chica. Pero no necesito encontrarme con ella para saber que la amo. Nuestras cartas me bastan.

He tardado en escribirte. He estado demasiado ocupado intentando seguir siendo niño. Mis amigos me preocupan. Cada día se alejan un poco más de mí. Discuten por cosas de adultos, se inventan enemigos y motivos para pelearse. Mi padre tenía razón al prohibirnos a Ana y a mí meternos en política. Papá tiene aspecto cansado. Lo veo ausente. Distante. Se ha construido una gruesa coraza de hierro para que la maldad rebote en ella, cuando, en el fondo, yo sé que es tan tierno como la pulpa de una guayaba madura.

Mamá nunca regresó de tu casa. Dejó su alma en tu jardín. Se le partió el corazón. Se ha vuelto loca, como el mundo que se te llevó.

He tardado en escribirte. Escuchaba un popurrí de voces diciéndome tantas cosas... La radio decía que el equipo de Nigeria —al que tú apoyabas— ganó la Copa Africana de Naciones. Mi bisabuela decía que las personas que uno quiere no mueren mientras siga pensándose en ellas. Mi padre decía que el día en que los hombres dejen de hacer la guerra, nevará en el trópico. La señora Economopoulos decía que las palabras son más ciertas que la realidad. Mi profe de Biología decía que la Tierra es redonda. Mis amigos decían que había que escoger un bando. Mi madre decía que tú duermes un largo sueño, con la camiseta de fútbol de tu equipo preferido puesta.

Y tú, Christian, tú ya nunca dirás nada.

Gaby

28

Tumbada sobre las baldosas de la terraza, con rotuladores y lápices de colores a su alrededor, Ana dibujaba ciudades en llamas, soldados armados, machetes ensangrentados, banderas desgarradas. El olor a crepes llenaba el aire. Prothé cocinaba escuchando la radio a todo volumen. El perro dormía apaciblemente a mis pies. De vez en cuando se despertaba para mordisquearse la pata con frenesí. Las moscas verdes daban vueltas en torno a su hocico. Sentado en el lugar que a mamá le gustaba ocupar en la terraza, yo leía *El niño y el río*, un libro que me había prestado la señora Economopoulos. Oí que se soltaba la cadena de hierro del portón. Al levantarme, distinguí a cinco hombres que venían por el sendero. Uno de ellos llevaba un Kaláshnikov. Fue él quien nos pidió que saliéramos de la casa. Daba órdenes con la punta del cañón. Prothé levantó los brazos, Ana y yo lo imitamos. Los hombres ordenaron que nos pusiéramos de rodillas, con las manos encima de la cabeza.

—¿Dónde está el patrón? —preguntó el hombre del Kaláshnikov.

—De viaje unos días por el norte del país —dijo Prothé.

Los hombres nos observaron. Eran jóvenes. Algunos me resultaban familiares. Debía de habérmelos cruzado en el kiosco.

—Tú, el hutu, ¿dónde vives? —continuó el que iba armado, dirigiéndose a Prothé.

—Aquí desde hace un mes —contestó Prothé—. Envié a mi familia a Zaire a causa de la inseguridad. Duermo ahí.

Señaló la pequeña caseta de chapa al fondo del jardín.

—No queremos hutus en el barrio —dijo el hombre del Kaláshnikov—. ¿Entendido? Os dejamos trabajar durante el día, pero por la noche os vais a vuestra casa.

—No puedo regresar a mi barrio, jefe, quemaron mi casa.

—No te quejes. Tienes suerte de estar todavía vivo. Vuestro patrón es francés y, como todos los franceses, prefiere a los hutus. Pero esto no es Ruanda, ellos no van a venir aquí a imponer su ley. Somos nosotros quienes decidimos.

Se acercó a Prothé y le metió el cañón del arma en la boca.

—Así que o abandonas el barrio al final de esta semana, o nos ocupamos de ti. En cuanto a vosotros dos, decidle bien claro a vuestro padre que a los franceses no os queremos en Burundi. Vosotros nos habéis matado en Ruanda.

Antes de retirar su arma de la boca de Prothé, el hombre nos escupió. A continuación, hizo una seña con la cabeza al resto del grupo y se marcharon. Esperamos un buen rato antes de levantarnos. Luego nos sentamos en los escalones de la casa. Prothé no decía nada. Clavaba en el suelo su mirada abatida. Ana se puso a dibujar como si no hubiera pasado nada. Al cabo de un momento, levantó la cabeza y me dijo:

—Gaby, ¿por qué mamá nos acusa de haber matado a nuestra familia en Ruanda?

No tenía ninguna respuesta que darle a mi hermanita. No tenía una explicación sobre la muerte de unos y el odio de otros. La guerra quizá fuera eso, no entender nada.

A veces pensaba en Laure, quería escribirle, pero desistía. No sabía qué decirle, todo parecía tan confuso. Esperaba que las cosas mejoraran un poco, entonces se lo podría contar todo en una carta larga, para hacerla sonreír como antes. Pero por el momento, el país era un zombi que caminaba con la boca abierta, sobre guijarros puntiagudos. Lidiábamos con la idea de morir en cualquier momento. La muerte ya no era una cosa lejana y abstracta. Tenía el rostro banal de lo cotidiano. Vivir con esa lucidez termina por destruir el resquicio de infancia que se lleva dentro.

Las operaciones de «ciudad muerta» se multiplicaban en Buyumbura. Las explosiones resonaban en el barrio desde el crepúsculo hasta el alba. La noche se enrojecía con el resplandor de los incendios, que levantaban una espesa humareda por encima de las colinas. Estaba ya tan habituado a las ráfagas y al percutir de las armas automáticas, que ni siquiera me tomaba la molestia de dormir en el pasillo. Echado en mi cama, podía admirar el espectáculo de las balas que cruzaban el cielo. En otro tiempo, en otro lugar, habría pensado que veía estrellas fugaces.

El silencio me parecía mucho más angustioso que el sonido de los disparos. El silencio fomenta la violencia de arma blanca y las intrusiones nocturnas que uno no ve venir. El miedo se me había pegado a la médula espinal y no se movía de allí. A veces temblaba como un perrito mojado y aterido de frío. Me quedaba encerrado en casa. No me atrevía a aventurarme por el callejón. A veces atravesaba la calle, muy deprisa, para ir a pedirle prestado un nuevo libro a la señora Economopoulos. Luego regresaba de inmediato para lanzarme al búnker de mi imaginación. En mi cama, sumido en esas historias, buscaba otras realidades más soportables, y los libros, mis amigos, pintaban mis días de luz. Me decía que la guerra terminaría tarde o temprano, un día alzaría la mirada de las páginas, abandonaría mi cama y mi habitación y mamá habría vuelto, con su bonito vestido de flores y la cabeza apoyada en el hombro de papá, Ana dibujaría de nuevo casas de ladrillo rojo con chimeneas humeantes, árboles frutales en los jardines y grandes soles brillantes, y mis amigos vendrían a buscarme para descender por el río Muha como antes, sobre una balsa de troncos de banano, navegar hasta las aguas turquesa del lago y terminar la jornada en la playa, riendo y jugando como niños.

Pero iba a tener que esperar mucho, la realidad se obstinaba en poner trabas a mis sueños. El mundo y su violencia se acercaban cada día un poco más. Desde que mis amigos decidieron que no se podía permanecer neutral, nuestro callejón había dejado de ser el remanso de paz que yo había deseado. Y mis amigos y los otros terminaron por desalojarme incluso de mi cama-búnker.

29

La ciudad estaba muerta. Las *gangs* bloqueaban los ejes principales. El odio campaba a sus anchas. Una nueva jornada negra comenzaba en Buyumbura. Una más. Se conminaba a todo el mundo a permanecer en casa. Recluido. Los rumores decían que la cólera había subido un grado más entre los jóvenes tutsis de las *gangs* que peinaban la ciudad, porque la víspera unos rebeldes hutus habían quemado vivos a unos estudiantes tutsis en una gasolinera, en el interior del país. Las *gangs* tutsis habían decidido vengarse de todos los hutus que se atrevieran a aventurarse fuera de casa. Papá había comprado provisiones para varios días. Nos preparábamos para largas jornadas de espera. Yo había ido a buscar mi reserva de libros a casa de la señora Economopoulos y estaba sirviéndome un vaso grande de leche cuajada antes de meterme en la cama a devorar historias, cuando oí que Gino rascaba en la puerta de la cocina.

—¿Qué haces aquí? —le dije en voz baja mientras abría—. Es una locura salir hoy.

—¡Deja de estar siempre tan flipado, Gaby! Acompáñame, está pasando algo grave.

No quiso decirme más, así que me calcé a toda prisa. En el salón se oían las risas de papá y de Ana, que estaban viendo dibujos animados. Me deslicé fuera de casa sin hacer ruido y seguí los pasos de Gino, que iba como una flecha. Tomamos un atajo, escalamos un seto y acortamos por el campo de fútbol de la Escuela Internacional. Gracias a una abertura en la verja, entramos en la parcela de Gino y atravesamos el jardín. Se oía el eterno golpeteo de la máquina Olivetti de su padre. Saltamos por encima del portón y giramos a la derecha, hacia el fondo del callejón. Estaba desierto. Subimos la callejuela. No se veía un alma. Pasamos delante del kiosco cerrado. Luego, del bar. Torcimos a la izquierda por el descampado. La vegetación había crecido y desde el camino no se veía la Volkswagen Combi.

Antes de abrir la portezuela de nuestro escondite, tuve un mal presentimiento, algo me decía que debía regresar a casa, volver a mis libros. Gino no me dejó tiempo para pensármelo, corrió la portezuela.

Armand estaba postrado sobre el asiento polvoriento de la Combi, con la ropa cubierta de sangre. Los sollozos le agitaban violentamente el pecho. Entre espasmos, soltaba agudos estertores. Con el ceño fruncido, Gino rechinaba los dientes y pequeñas sacudidas de cólera hacían temblar sus fosas nasales.

—Su padre cayó en una emboscada, anoche, en el callejón. Armand acaba de regresar del hospital. Ha muerto a causa de las heridas. Se acabó.

Me flaquearon las piernas y me sostuve como pude apoyándome en el reposacabezas del asiento del acompañante. Me daba vueltas la cabeza. Gino tenía mal aspecto, salió de la Combi y fue a sentarse fuera, sobre un viejo neumático lleno de agua estancada. Escondió la cara entre las manos. Aturdido, contemplaba a Armand sollozar, con la ropa manchada con la sangre de su padre. Ese padre al que temía tanto como veneraba. Unas personas habían ido a asesinarlo a nuestro callejón. A nuestro remanso de paz. La poca esperanza que me quedaba acababa de esfumarse. El país era una trampa mortal. Me sentía como un animal enloquecido en medio de una selva en llamas. El último candado había saltado. La guerra acababa de irrumpir entre nosotros.

—¿Quién lo ha hecho?

Armand me lanzó una mirada hostil.

—¡Los hutus, por supuesto! ¿Quién quieres que sea? Ellos prepararon el asalto. Esperaban desde hacía horas delante de nuestro portón, con una cesta de verduras. Se hacían pasar por agricultores de Bugarama. Lo apuñalaron delante de casa y después se fueron tranquilamente, bromeando. Yo estaba allí, lo vi todo.

Armand volvió a sollozar. Gino se levantó y la emprendió a puñetazos contra la carrocería del vehículo. Fuera de sí, agarró una barra de hierro y pulverizó el parabrisas y los retrovisores de la Combi. Yo lo miraba hacer. Despavorido.

Francis llegó con gesto sombrío. Llevaba una bandana en la cabeza, al estilo del rapero Tupac Shakur.

—Acompañadme, nos esperan —dijo.

Gino y Armand lo siguieron sin decir nada.

—¿Adónde vamos? —pregunté yo.

—A proteger nuestro barrio, Gaby —respondió Armand, limpiándose los mocos con el dorso de la mano.

En una época normal, habría desandado el camino. Pero la guerra estaba ahora en nuestro hogar, nos amenazaba directamente. A nosotros y a nuestras familias. Con el asesinato del padre de Armand, ya no tenía elección. Gino y Francis me habían hecho ya suficientes reproches por empeñarme en creer que aquellos problemas no me concernían. Los hechos les daban la razón. La muerte había venido, furtivamente, hasta nuestro callejón. No había refugio en la tierra. Yo vivía ahí, en esa ciudad, en ese país. No podía actuar de otro modo. Me fui con mis amigos.

El callejón estaba en silencio. Sólo se oía el ruido de la grava que crujía bajo nuestros zapatos. Los habitantes estaban escondidos en sus casas como sapos en el fondo de sus hoyos. No corría una pizca de aire. La naturaleza callaba. Al final del camino nos esperaba un taxi con el motor ronroneando. Francis nos hizo seña de que subiéramos. El taxista llevaba gafas de sol y tenía una cicatriz en la mejilla izquierda. Fumaba marihuana. Francis lo saludó puño contra puño, a la manera de los rastas. El coche arrancó, lentamente. Habíamos recorrido apenas unos metros cuando se detuvo, a la entrada del puente del Muha. Allí estaba el principal puesto de control del barrio, levantado por jóvenes de la banda de los «Sin Derrota». Detrás de una hilera de alambrada que bloqueaba la carretera, ardían unos neumáticos. Una espesa humareda negra nos impedía distinguir lo que sucedía en medio del puente. Un grupo de jóvenes gritaban mientras golpeaban encarnizadamente con bates de béisbol y grandes piedras a una masa negra tendida en el suelo, inerte. Parecían disfrutar con ello. Al vernos, algunos miembros de la *gang* vinieron a nuestro encuentro. Francis los llamaba por sus nombres. Reconocí al hombre del Kaláshnikov, el que había venido a encañonarnos a casa. Cuando nos vio a Gino y a mí dijo:

—¿Qué pintan esos dos blancos aquí?

—No pasa nada, jefe, están con nosotros, sus madres son tutsis —explicó Francis.

El hombre nos examinó con aire escéptico, dudando. Dio algunas consignas a los otros y se subió en la parte de atrás del coche, a nuestro lado, con el Kaláshnikov entre las piernas y el cargador recubierto de pegatinas de Nelson Mandela, Martin Luther King y Gandhi.

—¡Circula, taxista! —dijo, golpeando la chapa exterior de la portezuela.

Un joven apartó la alambrada de la carretera. El coche zigzagueó prudentemente entre las piedras que cubrían el pavimento. Las emanaciones de la goma quemada nos irritaban los ojos y nos hacían toser. Al llegar a la altura del grupo que se agitaba sobre el puente, el hombre del Kaláshnikov le ordenó al taxista que parara. Los miembros de la *gang* se apartaron, riéndose. Me recorrió un escalofrío. A sus pies, sobre el asfalto caliente, agonizaba *Atila*, el caballo negro de los Von Gotzen. Estaba en el mismo sitio en que distinguimos su sombra una noche de tormenta, pero ahora tendido sobre el suelo, con las patas rotas y el cuerpo repleto de heridas sanguinolentas. Los jóvenes se estaban desquitando con él. El caballo levantó la cabeza y miró en mi dirección. El ojo que le quedaba se clavó en mí. El hombre del Kaláshnikov sacó el cañón de su arma por la ventanilla del coche, los jóvenes se dispersaron.

—¡Bassi! ¡Ya basta! —gritó, y soltó una ráfaga.

Me sobresalté. Armand se agarró a mi pantalón corto. El coche arrancó bajó la mirada de los jóvenes, visiblemente decepcionados por haberse quedado tan pronto sin la atracción de la jornada.

En el barrio de Kabondo, el vehículo tomó una pista llena de baches que bordeaba el río.

—¿Tú eres el hijo del embajador que acaba de ser asesinado? —preguntó el hombre del Kaláshnikov.

Armand asintió con la cabeza sin mirarlo. El taxi llegó a un promontorio de arcilla rojiza que se asomaba al río. Inmensas ceibas algodoneras rodeaban el lugar. Nos bajamos del vehículo. Allí había otros jóvenes del barrio. Hijos de buenas familias, a los que yo tenía por amables estudiantes, iban armados con palos y piedras. Un hombre malherido gemía en el suelo. El polvo rojo le cubría el rostro y la ropa, mezclándose con la sangre coagulada que manaba de la herida que tenía en la parte posterior de la cabeza.

El hombre del Kaláshnikov, al que los otros llamaban Clapton, cogió a Armand por el brazo y le dijo:

—Este hutu es uno de los asesinos de tu padre.

Armand no se movió. Clapton fue el primero en golpear al hombre y los otros lo imitaron. Llovían los golpes. Gino y Francis, empujados por la excitación, se unieron a la jauría. En ese momento llegó una moto a toda velocidad y dos hombres que llevaban cascos con visera se bajaron de ella.

—Es el *boss* —dijo Clapton, y toda la banda cesó en sus golpes.

Francis se volvió hacia Armand y hacia mí para decirnos con orgullo:

—Eh, tíos, comportaos, ¡es el jefe de los «Sin Derrota» en persona! ¡Vais a alucinar!

El pasajero de la moto se quitó el casco y se lo dio al que conducía. Cuando me vio en medio de los jóvenes de la banda, en plena «ciudad muerta», al lado del hombre que gemía en el suelo, me imaginé que no podía creer lo que veían sus ojos. Sonrió.

—Vaya, Gaby. Me alegra verte con nosotros.

Yo no respondí. Él, Innocent, estaba de pie, y yo apretaba los dientes y los puños.

A continuación, los jóvenes de la *gang* sujetaron al hombre contra el suelo y le ataron los brazos a la espalda. Se resistió cuanto pudo, tuvieron que ayudarse entre varios para conseguir inmovilizarlo. En la confusión, el carnet de identidad se le salió del bolsillo y cayó al polvo. Después de atarlo, lo metieron en el taxi. El conductor de la cicatriz cogió un bidón de gasolina del maletero y lo vertió sobre los asientos y sobre el capó, antes de cerrar las portezuelas. El hombre gritaba sin parar, aterrorizado, suplicándonos que lo salváramos. Innocent sacó un mechero del bolsillo. Reconocí el Zippo de Jacques que le habían robado el día de mi cumpleaños, un poco antes de la guerra; un mechero de plata con unos ciervos grabados. Innocent le tendió la llama a Armand.

—Si quieres vengar a tu padre...

Mi amigo reculó, con un gesto de horror, diciendo que no con la cabeza. Entonces Clapton se acercó.

—Jefe, mejor deja que el francesito demuestre que está con nosotros.

Innocent sonrió, sorprendido de que no se le hubiese ocurrido a él la idea. Se acercó a mí con el Zippo encendido en la mano. Mis sienes y mi corazón latían como si fueran a explotar. Volví la cabeza a derecha e izquierda en busca de ayuda. Busqué a Gino y a Francis en el grupo. Al cruzarme con sus miradas, vi que tenían el mismo rostro de muerte que los demás. Innocent me cerró la mano sobre el mechero y me ordenó arrojarlo. El hombre que estaba en el taxi me miraba con intensidad. Me zumbaban los oídos. Todo se volvía confuso. Los jóvenes de la banda me empujaban, me golpeaban, gritaban junto a mi rostro. Oía las voces lejanas de Gino y de Francis, gritos de fieras, salvas de un odio febril. Clapton hablaba de papá y de Ana. Me costaba discernir sus amenazas en medio de las llamadas a matar y de la algarabía reinante. Innocent se impacientó, dijo que si no lo hacía, él mismo iría al callejón a ocuparse de mi familia. Yo veía la imagen apacible de papá y Ana tirados en la cama delante del televisor. La imagen de su inocencia, de todos los inocentes de aquel mundo que se resistían a caminar hasta el borde del abismo. Y sentí piedad por ellos, por mí, por la pureza engullida por un miedo devorador que todo lo transforma en maldad, en odio, en muerte. En lava. Todo estaba borroso a mi alrededor, el vocerío se amplificaba. El hombre del taxi era un caballo casi muerto. Si no existe un refugio en la tierra, ¿lo hay en alguna otra parte?

Lancé el Zippo y el coche prendió. Una inmensa hoguera se elevó hacia el cielo y lamió las altas ramas de las ceibas. El humo escapaba por encima de las copas de los árboles. Los gritos del hombre desgarraban el aire. Vomité sobre mis zapatos y oí a Gino y a Francis felicitarme mientras me palmeaban la espalda. Armand lloraba. Seguía llorando, encogido como un feto entre el polvo, cuando todo el mundo hubo abandonado el terreno. Nos encontramos los dos solos delante de los restos calcinados del coche. El lugar estaba en calma, casi sereno. El río fluía allí abajo. Era casi de noche. Ayudé a Armand a levantarse. Teníamos que regresar a nuestro hogar, al callejón. Antes de partir, rebusqué en el polvo, entre las cenizas. Encontré el carnet de identidad del hombre que acababa de morir. El que yo había matado.

30

Querida Laure:

Ya no quiero ser mecánico. No hay nada que reparar, nada que salvar, nada que comprender.

Hace días y noches que nieva sobre Buyumbura.

Las palomas se exilian en un cielo lechoso. Los niños de la calle decoran abetos con mangos rojos, amarillos y verdes. Los campesinos descienden de la colina al llano, se precipitan por las grandes avenidas en pequeños trineos de alambre y bambú. El lago Tanganica es una pista de patinaje en la que hipopótamos albinos se deslizan sobre sus vientres fofos.

Hace días y noches que nieva sobre Buyumbura.

Las nubes son ovejas en una pradera azul. Los cuarteles, hospitales vacíos. Las cárceles, escuelas espolvoreadas de cal. La radio difunde cantos de pájaros exóticos. El pueblo ha sacado la bandera blanca y se lanza a batallas de bolas de nieve en campos de algodón. Las risas resue-

nan, desatan avalanchas de azúcar glas en las montañas.

Hace días y noches que nieva sobre Buyumbura.

Con la espalda apoyada contra una estela funeraria, comparto un cigarrillo con la vieja Rosalie sobre la tumba de Alphonse y de Pacifique. A dos metros por debajo del hielo, los oigo recitar poemas de amor a las mujeres que no tuvieron tiempo de amar, y tararear canciones de amistad a los camaradas caídos en combate. Un vaho azul de invierno se escapa de mi boca, se transforma en una miríada de mariposas blancas.

Hace días y noches que nieva sobre Buyumbura.

Los borrachos del bar beben a plena luz leche caliente en cálices de porcelana. El cielo desmesurado se llena de estrellas, que parpadean como las luces de Times Square. Mis padres sobrevuelan una luna eucarística, en la parte trasera de un trineo tirado por cocodrilos cubiertos de escarcha. A su paso, Ana arroja puñados de arroz de los sacos de ayuda humanitaria.

Hace días y noches que nieva sobre Buyumbura. ¿Ya te lo he dicho?

Los copos se posan delicadamente sobre la superficie de las cosas, lo cubren todo hasta el infinito, impregnan el mundo con su blancura absoluta, hasta el fondo de nuestros corazones de marfil. Ya no hay paraíso ni infierno. Mañana, los perros enmudecerán. Los volcanes dormirán.

El pueblo votará en blanco. Nuestros fantasmas vestidos de boda se marcharán por las calles heladas. Seremos inmortales.

Desde hace días y noches, nieva.

Buyumbura está inmaculada.

Gaby

31

En Buyumbura la guerra se intensificó. El número de víctimas se había vuelto tan elevado que la situación en Burundi estaba ahora en las portadas de la actualidad internacional.

Una mañana, papá encontró el cuerpo de Prothé en la cuneta, delante de la casa de Francis, machacado a pedradas. Gino me dijo que no era más que un *boy*, que no comprendía por qué lloraba. Cuando el ejército atacó Kamenge, le perdimos la pista a Donatien. ¿También lo mataron? ¿Huyó del país, como tantos otros, en fila india, con un colchón sobre la cabeza, un hatillo en la mano y sus hijos agarrados a la otra, simples hormigas en las mareas humanas que fluyen a lo largo de las carreteras y las pistas de África en este final del siglo XX?

Un ministro enviado por París llegó a Buyumbura con dos aviones para repatriar a los ciudadanos franceses. La escuela cerró de un día para otro. Papá nos inscribió para que pudiéramos marcharnos. Una familia de acogida nos esperaba, a Ana y a mí, en algún lugar de Francia, a nueve horas de vuelo de nuestro callejón. Antes de partir, volví a la Combi para recuperar el telescopio de la señora Economopoulos. En el momento de despedirnos, ella corrió a su biblioteca y arrancó una página de uno de sus libros. Era un poema. Ella habría preferido copiarlo, pero ya no había tiempo para copiar poemas. Tenía que irme. Me dijo que guardara aquellas palabras como un recuerdo de ella, que las comprendería más adelante, dentro de unos años. Incluso después de haber cerrado el pesado portón, seguía oyendo su voz detrás de mí, dándome consejos interminables: cuídate del frío, vela por tus secretos jardines, enriquécete con las lecturas, con los encuentros, con los amores, nunca olvides de dónde vienes...

Cuando se abandona un lugar, se dedica un tiempo a decirle adiós a la gente, a las cosas, a los sitios que uno ama. Pero yo no abandoné el país, huí de él. Dejé la puerta abierta de par en par detrás de mí y partí sin mirar atrás. Recuerdo simplemente la mano pequeña de papá que se agitaba en la galería del aeropuerto de Buyumbura.

Hace años que vivo en un país en paz, en el que cada ciudad posee tantas bibliotecas que nadie repara en ellas. Un país como un callejón, en el que los sonidos de la guerra y de la furia del mundo nos llegan de lejos.

De noche, recuerdo el perfume de las calles de mi infancia, el ritmo calmado de las tardes, el sonido tranquilizador de la lluvia que tamborilea sobre el tejado de chapa. A veces sueño; encuentro el camino de mi gran casa junto a la carretera de Rumonge. No ha cambiado. Las paredes, los muebles, los jarrones de flores, todo está ahí. Y en esos sueños de un país desaparecido que tengo de noche, oigo el canto de los pavos reales en el jardín y la lejana llamada del muecín.

En invierno, observo con tristeza el castaño sin hojas de la plaza que hay debajo de mi edificio. Imagino en su lugar la poderosa bóveda de mangos que refrescaban mi barrio. Durante mis noches de insomnio, abro el pequeño arcón de madera que tengo escondido debajo de la cama y me sumerjo en la fragancia de los recuerdos, mirando las fotos de tío Alphonse y de Pacifique, la que papá me tomó en un árbol un día de Año Nuevo, aquel escarabajo blanco

213

y negro recogido en el bosque de Kibira, las cartas perfu-
madas de Laure, las papeletas de las elecciones de 1993
que Ana recogió entre la hierba, un carnet de identidad
manchado de sangre... Me enrollo un mechón de mamá en
el dedo y releo el poema de Jacques Roumain que me rega-
ló la señora Economopoulos el día de mi partida: «Si se es
de un país, si se ha nacido allí, si se es como quien dice
nativo-natural, uno lo lleva en los ojos, en la piel, en las
manos, con la cabellera de sus árboles, la carne de su tierra,
los huesos de sus piedras, la sangre de sus ríos, su cielo, su
sabor, sus hombres y sus mujeres...»

Oscilo entre dos orillas, mi alma tiene esa enfermedad.
Miles de kilómetros me separan de esa vida de antes. No
es la distancia terrestre lo que hace largo el viaje, sino el
tiempo transcurrido. Yo era de un lugar, estaba rodeado
de familiares, amigos, conocidos y calor. He vuelto al lu-
gar, pero está vacío de quienes lo poblaron, de quienes le
daban vida, cuerpo y carne. Mis recuerdos se superponen
inútilmente a lo que tengo delante de los ojos. Pensaba que
estaba exiliado de mi país. Al regresar sobre las huellas de
mi pasado, he comprendido que lo estaba de mi infancia,
lo que me parece todavía más cruel.

He regresado al callejón. Veinte años después. Ha cambia-
do. Los grandes árboles del barrio fueron talados. El sol
aplasta los días. Los muros de piedra rematados con trozos
de cascos de botellas y alambre de púas han reemplazado a
los coloridos setos de buganvillas. El callejón no es más que
un triste pasillo polvoriento, con sus habitantes anónimos

confinados en él. *Sólo Armand sigue viviendo allí, en la gran casa familiar de ladrillo blanco, al fondo del callejón. Su madre y sus hermanas se han dispersado por todo el mundo, de Canadá a Suecia, pasando por Bélgica. Cuando le pregunto por qué no las ha seguido, me responde, con su humor legendario:*

—¡A cada cual su asilo! Político, para los que se van; psicótico, para los que se quedan.

Armand se ha convertido en alguien importante, en directivo de un banco comercial. Ha acumulado barriga y responsabilidades. La noche de mi regreso insiste en llevarme al bar del callejón.

—Ya iremos a los sitios de moda después, primero quiero que te sumerjas, sin escalas, en el país real.

La pequeña cabaña sigue ahí, con su flamboyán reseco plantado delante. La luna proyecta su sombra sobre la tierra arcillosa. Sus florecillas se mueven suavemente con la brisa nocturna. El bar acoge a cantidad de parlanchines y de tipos silenciosos, hartos de rutina y de desilusiones. En la misma oscuridad de entonces, los clientes vacían sus botellas y sus corazones. Me siento en una caja de cerveza, al lado de Armand. Me proporciona noticias vagas de Francis, que se ha convertido en pastor de una iglesia evangélica. ¿Y los gemelos y Gino? Están en algún lugar de Europa, pero él no ha intentado encontrarlos. Yo tampoco. ¿Para qué?

Insiste en que le cuente la vida que llevamos Ana y yo a nuestra llegada a Francia. No me atrevo a quejarme, imagino lo que él debió de pasar durante los quince años de guerra que siguieron a mi marcha. Sólo le confío, un poco incómodo, que mi hermana no quiere volver a oír hablar de Burundi. Callamos. Enciendo un cigarrillo. La llama ilumina nuestros rostros con un carmín efímero. Han pasado los años, evitamos algunos temas. Como la muerte de mi padre, que cayó en una emboscada en la carretera de Bugarama, unos días después de nuestra partida. Tampoco hablamos del asesinato del suyo y de todo lo que sucedió después. Algunas heridas no se curan.

En la oscuridad del bar, tengo la impresión de estar en un viaje en el tiempo. Los clientes tienen las mismas conversaciones, las mismas esperanzas, las mismas divagaciones que en el pasado. Hablan de las elecciones que se avecinan, de acuerdos de paz, del miedo a una nueva guerra civil, de sus amores frustrados, del aumento de los precios del azúcar y el carburante. La única novedad es que a veces oigo sonar un teléfono móvil y eso me recuerda que los tiempos sí han cambiado. Armand abre una cuarta botella. Reímos bajo una luna rojiza al recordar nuestras travesuras de niños, nuestros días felices. Encuentro un poco de ese Burundi eterno que creía desaparecido. La agradable sensación de haber regresado a casa se apodera de mí. En esa oscuridad, ahogado por la distorsión de los murmullos de los clientes, me cuesta discernir a lo lejos un extraño hilo de voz, que despierta en mí una reminiscencia sonora. ¿Es efecto del alcohol? Me concentro. La evocación desaparece. Abrimos más cervezas. Armand me pregunta por qué he vuelto. Le hablo de la llamada telefónica que recibí hace unos meses, el día de mi cumpleaños, anunciándome la muerte de la señora Economopoulos. Exhaló su último suspiro durante la siesta, una tarde de otoño, frente al mar Egeo, con una novela en el regazo. ¿Estaría soñando con sus orquídeas?

—He venido a recoger los baúles de libros que dejó para mí, aquí, en Buyumbura.

—¿Así que has venido por un montón de libros?

Armand se echa a reír. Yo hago lo mismo, por primera vez veo lo absurdo de mi proyecto. Proseguimos nuestra conversación. Me habla del golpe de Estado que siguió a mi partida, del embargo que sufrió el país, de los largos años de guerra, de los nuevos ricos, de las mafias locales, de los periódicos independientes, de las ONG que dan empleo a la mitad de la ciudad, de las iglesias evangélicas que florecen por todas partes, del conflicto étnico que poco a poco ha desaparecido de la escena política. La voz canturrea de nuevo en mi oído. Agarro a Armand por el brazo.

—¿Lo oyes...? —balbuceo.

Me muerdo el labio. Tiemblo. Armand me pone una mano en el hombro.

—Gaby, no sabía cómo decírtelo. He preferido que lo descubrieras por ti mismo. Ella viene aquí todas las noches desde hace años...

La voz, una voz de ultratumba, se me mete en los huesos. Murmura una historia de manchas en el suelo que no se quitan. Empujo a las sombras, tropiezo con las cajas de cerveza, tanteo en la negrura, me acerco al fondo de la cabaña. Acuclillada en el suelo, en la esquina de la sala, bebe alcohol artesanal con una pajita. La encuentro después de veinte años, que han cargado cincuenta sobre su cuerpo irreconocible. Me inclino sobre la anciana. Tengo la impresión de que ella me reconoce por cómo me mira, fijamente, bajo la luz del mechero que acerco a su rostro. Con una ternura infinita, mamá posa su mano con delicadeza sobre mi mejilla.

—¿Eres tú, Christian?

Ignoro qué voy a hacer con mi vida. De momento, pienso quedarme aquí, ocuparme de mamá y esperar que mejore.

El día comienza y tengo ganas de escribir. No sé cómo terminará esta historia. Pero sí recuerdo cómo empezó todo.